AP® SPANISH

Preparing for the Language and Culture Examination

TEACHER'S GUIDE

Scripts
Answer Keys

José M. Díaz

Boston, Massachusetts
Chandler, Arizona
Glenview, Illinois
Upper Saddle River, New Jersey

Acknowledgments appear on pages 55–57, which constitute an extension of this copyright page.

PEARSON

ISBN-13: 978-0-13-323822-8
ISBN-10: 0-13-323822-9

6   16

Table of Contents

To the Teacher

About the AP® Spanish Language and Culture Examination

AP® Spanish: Preparing for the Language and Culture Examination is a comprehensive test preparation manual to accompany an AP® Spanish Language and Culture course based on the College Board's Curriculum Framework. The program components include:

- Student Edition: softcover print or eText with embedded and downloadable audio files
- Teacher's Guide: softcover print or downloadable PDF files in Digital Courseware
- Audio Program: DVD or downloadable MP3 files in Digital Courseware and eText
- Digital Courseware: eText, downloadable audio files, downloadable Teacher's Guide (teacher only view), all Section I activities (assignable and auto-graded), all Section II activities (assignable with recording tool for speaking activities), gradebook, classroom management tools, add content features, and more.

The AP® Spanish and Culture Examination focuses on assessing student proficiency in the three modes of communication described in the Standards for Foreign Language Learning in the 21st Century. In these materials, you will find complete preparation for each section of the examination:

Section I: Multiple Choice

Part A Interpretive Communication: Print Texts

Part B-1 Interpretive Communication: Print and Audio Texts (Combined)

Part B-2 Interpretive Communication: Audio Texts

Section II: Free Response

Part C Interpersonal Writing: E-mail Reply

Part D Presentational Writing: Persuasive Essay

Part E Interpersonal Speaking: Conversation

Part F Presentational Speaking: Cultural Comparison

The new curriculum framework for the AP® Spanish Language and Culture Exam can be found on the AP Central website at http://apcentral.collegeboard.com.

Student Edition Options

AP® Spanish: Preparing for the Language and Culture Examination provides unparalleled support for test preparation. Teachers can choose among several options that include print only, print with digital, or digital only.

Blended Option

Student Edition (print) with Digital Courseware. In this blended option, each softcover print Student Edition includes a license to the Digital Courseware. Licenses are available in varying durations.

Digital Only

1. **Student Edition (eText) with Digital Courseware.** This option includes the online Student Edition (eText) and a license to the Digital Courseware. Licenses are available in varying durations.
2. **Pearson Standalone eText.** This option includes the online Student Edition (eText) with no access to the Digital Courseware.

Print Only

The softcover print version of *AP® Spanish: Preparing for the Language and Culture Examination* is available for purchase in an option that does not include access to the Digital Courseware.

Digital Courseware

The Digital Courseware, available with this edition and powered by SuccessNet Plus, provides time saving digital tools for the AP® classroom. Schools can access the Digital Courseware through the purchase of the Student Edition options that include licenses.

The Digital Courseware includes:

- eText with embedded audio links
- Assignable activities for test practice
- Auto-graded listening and reading activities (Section I)
- Open-ended (teacher-graded) speaking and writing tasks (Section II)
- Speaking assessments using RealTalk!

The **Teacher Digital Center** includes all Pearson content and provides tools to manage enrollments and instruction, assign activities, customize and add content, and communicate with students. It also contains PDF files of the Teacher's Guide and downloadable audio files.

The **Student Digital Center** includes the complete eText plus tools to access and complete assignments, record speaking tasks, monitor grades, and communicate with teachers.

Accessing the Digital Courseware

Access to the Digital Courseware is included with any product that includes a student license. Teachers do not need to purchase any additional product for access; access is included with the student licenses.

Teacher access to the Digital Courseware

The *AP® Spanish: Preparing for the Language and Culture Examination* Digital Courseware is located on Pearson's personalized learning management system called SuccessNet® Plus (**www.successnetplus.com**). Teacher access is automatically provided with the purchase of a student license. Teachers can self-register on SuccessNet Plus to set up a Home Page, add products, and create classes. To get started, visit **www.successnetplus.com** and click on the link to the SuccessNet Plus tutorials. Teachers will also want to check their computer settings and review the technical requirements to use SuccessNet Plus.

Student access to the Digital Courseware

Students are provided access to the Digital Courseware when teachers enroll them in a class. When a student is enrolled, teachers assign a Username and Password for each student. Teachers need to provide students with their login credentials at which time they can access their content by logging in at **www.successnetplus.com.** If students already have a SuccessNet Plus account, teachers can add them to the class from the School Roster rather than create a new account. Once enrolled, students can access the products and assignments from their Student Home Page using their current login credentials. Students and parents can visit **www.successnetplus.com** for tutorials to learn how to access the Digital Courseware on home computers. Information is also provided for accessing the eTexts through mobile devices.

Integrating *AP® Spanish: Preparing for the Language and Culture Examination* with *Abriendo paso: Temas y lecturas*

Teachers preparing students for the AP® Spanish Language and Culture Examination may wish to use another highly recommended Pearson text written by José Díaz, *Abriendo paso: Temas y lecturas*, as a companion text to *AP® Spanish: Preparing for the Language and Culture Examination*. This anthology is a collection of authentic readings, both literature and informational texts, that provides complete coverage of the Themes, Recommended Contexts, and Learning Objectives as outlined in the College Board Curriculum Framework.

The following chart shows how to correlate the six themes from the College Board Curriculum Framework with *AP® Spanish: Preparing for the Language and Culture Examination* and *Abriendo paso: Temas y lecturas* in order to facilitate their use in an AP® Spanish Language and Culture Course.

Tema	*AP® Spanish: Preparing for the Language and Culture Examination*	*Abriendo paso: Temas y lecturas*
Las identidades personales y públicas	**SI, PA: A#** 4, 9, 12, 22, 23, 27, 33, 34, 44, 48; **SI, PB-1: A#** 3, 9, 14; **SI, PB-2: A#** 9, 14, 22; **SII, PC: A#** 1, 15, 23, 24; **SII, PD: A#** 5, 11; **SII, PE: A#** 2, 8, 12; **SII, PF: A#** 2, 7, 9, 18, 22, 32, 37	Unidad 1, Capítulos 1–6
La vida contemporánea	**SI, PA: A#** 2, 5, 6, 8, 10, 18, 19, 21, 24, 26, 29, 43; **SI, PB-1: A#** 11, 15; **SI, PB-2: A#** 2, 5, 11, 13; **SII, PC: A#** 2, 6, 9, 12, 17; **SII, PD: A#** 2, 4, 9; **SII, PE: A#** 1, 7, 13; **SII, PF: A#** 1, 14, 20, 24, 30, 35	Unidad 2, Capítulos 7–13
Las familias y las comunidades	**SI, PA: A#** 7, 14, 30, 38, 39; **SI, PB-1: A#** 5, 13; **SI, PB-2: A#** 1, 20, 21; **SII, PC: A#** 4, 7, 10, 16; **SII, PD: A#** 6, 10, 13; **SII, PE: A#** 3, 9, 17; **SII, PF: A#** 5, 11, 15, 28, 33, 38	Unidad 3, Capítulos 14–19

La belleza y la estética	**SI, PA: A#** 1, 3, 13, 15, 32, 36, 37, 40, 42, 47; **SI, PB-1: A#** 2, 6, 17; **SI, PB-2: A#** 3, 6, 10; **SII, PC: A#** 13, 18, 21, 25; **SII, PD: A#** 15; **SII, PE: A#** 4, 6, 11, 18; **SII, PF: A#** 6, 12, 16, 25, 29, 34, 39	Unidad 4, Capítulos 20–25
La ciencia y la tecnología	**SI, PA: A#** 11, 20, 28, 35; **SI, PB-1: A#** 1, 4, 8, 12, 19; **SI, PB-2: A#** 4, 7, 19; **SII, PC: A#** 3, 8, 14, 20; **SII, PD: A#** 3, 7, 12, 14; **SII, PE: A#** 5, 14, 19; **SII, PF: A#** 4, 8, 13, 21, 26	Unidad 5, Capítulos 26–31
Los desafíos mundiales	**SI, PA: A#** 16, 17, 25, 31, 41, 45, 46; **SI, PB-1: A#** 7, 10, 16, 18, 20; **SI, PB-2: A#** 8, 12, 15, 16, 17, 18; **SII, PC: A#** 5, 11, 19, 22; **SII, PD: A#** 1, 8; **SII, PE: A#** 10, 15, 16, 20; **SII, PF: A#** 3, 10, 17, 19, 23, 27, 31, 36, 40	Unidad 6, Capítulos 32–37

Key: S=Section; P=Part; A#=Activity number

For Additional Grammar Support

Teachers preparing students for the AP® Spanish Language and Culture Examination may wish to provide grammar review by integrating *Abriendo paso: Gramática* as part of instruction. This highly recommended grammar text combines communicative practice with basic review. The print version of the Student Edition is available in a hardcover or softcover format. The hardcover print Student Edition includes a 7-year license to the Digital Courseware. The softcover includes 1-year license. The Digital-only options include both the eText and Digital Courseware and the Standalone eText.

Visit **PearsonSchool.com/worldlanguages** for license durations and pricing.

SECTION I
TEACHING NOTES

Print Texts

Answer keys

ACTIVIDAD 1

1. B; 2. D; 3. A; 4. C; 5. A; 6. C

ACTIVIDAD 2

1. C; 2. D; 3. B; 4. A; 5. A

ACTIVIDAD 3

1. C; 2. A; 3. B; 4. D; 5. A

ACTIVIDAD 4

1. B; 2. A; 3. D; 4. C; 5.A

ACTIVIDAD 5

1. A; 2. C; 3. D; 4. B; 5. C; 6. D; 7. C; 8. B; 9. A

ACTIVIDAD 6

1. B; 2. B; 3. C; 4. D; 5. A; 6. A; 7. D; 8. A; 9. C

ACTIVIDAD 7

1. D; 2. C; 3. D; 4. B; 5. B; 6. A; 7. A; 8. D

ACTIVIDAD 8

1. A; 2. C; 3. A; 4. D; 5. A; 6. B; 7. B; 8. C

ACTIVIDAD 9

1. C; 2. A; 3. D; 4. C; 5. B; 6. D; 7. A

ACTIVIDAD 10

1. B; 2. D; 3. C; 4. A; 5. A; 6. B; 7. A; 8. C; 9. D; 10. B

ACTIVIDAD 11

1. B; 2. C; 3. A; 4. D; 5. A; 6. C; 7. B; 8. D

ACTIVIDAD 12

1. D; 2. A; 3. B; 4. B; 5. A; 6. C; 7. D; 8. A

ACTIVIDAD 13

1. A; 2. C; 3. D; 4. C; 5. A

ACTIVIDAD 14

1. A; 2. C; 3. A; 4. A; 5. B; 6. D

ACTIVIDAD 15

1. C; 2. B; 3. D; 4. B; 5. B; 6. A; 7. C; 8. A; 9. D; 10. B

ACTIVIDAD 16

1. A; 2. B; 3. D; 4. B; 5. A; 6. C

ACTIVIDAD 17

1. A; 2. C; 3. D; 4. A; 5. B; 6. D; 7. B; 8. A; 9. C

ACTIVIDAD 18

1. A; 2. A; 3. B; 4. B; 5. C; 6. D; 7. B; 8. C

ACTIVIDAD 19

1. B; 2. A; 3. A; 4. C; 5. D; 6. C; 7. D; 8. D; 9. C; 10. B

ACTIVIDAD 20

1. C; 2. B; 3. C; 4. A; 5. B; 6. A

ACTIVIDAD 21

1. A; 2. D; 3. A; 4. A; 5. D; 6. B; 7. B; 8. C; 9. B

ACTIVIDAD 22

1. A; 2. C; 3. B; 4. D; 5. B; 6. D; 7. A

ACTIVIDAD 23

1. D; 2. B; 3. A; 4. A; 5. C; 6. B; 7. C; 8. B; 9. D

ACTIVIDAD 24

1. B; 2. D; 3. A; 4. A; 5. C; 6. D; 7. A; 8. C

ACTIVIDAD 25

1. B; 2. A; 3. D; 4. C; 5. B; 6. D; 7. C; 8. A; 9. C

ACTIVIDAD 26

1. B; 2. C; 3. D; 4. B; 5. C; 6. A; 7. D; 8. A

ACTIVIDAD 27

1. D; 2. A; 3. A; 4. A; 5. B; 6. C; 7. D; 8. B; 9. D

ACTIVIDAD 28

1. D; 2. A; 3. B; 4. D; 5. C; 6. B; 7. A; 8. D; 9. C

ACTIVIDAD 29

1. A; 2. B; 3. C; 4. D; 5. A; 6. C; 7. A; 8. D; 9. B

ACTIVIDAD 30

1. D; 2. B; 3. A; 4. C; 5. C; 6. B; 7. A

ACTIVIDAD 31

1. C; 2. D; 3. A; 4. D; 5. A; 6. B; 7. A; 8. B; 9. C

ACTIVIDAD 32

1. C; 2. B; 3. C; 4. A; 5. A; 6. D; 7. D; 8. B; 9. D

ACTIVIDAD 33

1. C; 2. D; 3. A; 4. D; 5. C; 6. B; 7. B

ACTIVIDAD 34

1. D; 2. A; 3. D; 4. C; 5. B; 6. A; 7. B; 8. C

ACTIVIDAD 35

1. D; 2. A; 3. B; 4. B; 5. D; 6. A; 7. A; 8. C; 9. C;
10. D; 11. B; 12. B

ACTIVIDAD 36

1. B; 2. C; 3. C; 4. A; 5. C; 6. D; 7. D

ACTIVIDAD 37

1. D; 2. B; 3. A; 4. B; 5. D; 6. C; 7. D; 8. A; 9. C

ACTIVIDAD 38

1. D; 2. A; 3. C; 4. A; 5. B; 6. D; 7. C

ACTIVIDAD 39

1. B; 2. D; 3. B; 4. B; 5. A; 6. C; 7. D; 8. D; 9. C

ACTIVIDAD 40

1. A; 2. B; 3. A; 4. D; 5. C; 6. C; 7. A; 8. B; 9. D

ACTIVIDAD 41

1. A; 2. C; 3. A; 4. D; 5. D; 6. C; 7. B; 8. B; 9. B

ACTIVIDAD 42

1. D; 2. B; 3. D; 4. A; 5. B; 6. C; 7. C; 8. D

ACTIVIDAD 43

1. D; 2. D; 3. B; 4. A; 5. B; 6. C; 7. B

ACTIVIDAD 44

1. B; 2. D; 3. A; 4. D; 5. A; 6. B; 7. C; 8. C

ACTIVIDAD 45

1. C; 2. B; 3. D; 4. B; 5. C; 6. A; 7. D; 8. A

ACTIVIDAD 46

1. D; 2. D; 3. B; 4. A; 5. C; 6. A; 7. B; 8. C

ACTIVIDAD 47

1. D; 2. C; 3. A; 4. B; 5. C; 6. A; 7. D; 8. B

ACTIVIDAD 48

1. A; 2. B; 3. B; 4. D; 5. C; 6. A; 7. D; 8. C

Print and Audio Text (Combined)

Audio Scripts and Answer Keys

Audio Instructions: To simulate the exam, either use the Audio DVD (Exam Simulation Full Activity) or go to the Downloadable Audio folder in the AP Spanish® eText or Digital Courseware. The on-page audio links in the eText will play only the authentic audio sources.

Script of the exam instructions for Part B-1:
Primero tienes 4 minutos para leer la fuente número 1.
(4 minutes)
Deja de leer. Ahora pasa a la fuente número dos. Tienes dos minutos para leer la introducción y las preguntas.
(2 minutes)
Ahora escucha la fuente número 2.
(Authentic recording plays.)
Ahora tienes un minuto para empezar a responder a las preguntas para esta actividad. Después de un minuto, vas a escuchar la grabación de nuevo.
(1 minute)
Ahora escucha de nuevo.
(Authentic recording plays again.)
Ahora termina de responder a las preguntas para esta actividad.
(Pause to complete the assignment. Time will vary, 15 seconds per question.)

ACTIVIDAD 1 Solitario George

«Es completamente inútil decir cualquier cosa sobre este paisaje. Sería tan provechoso como explicarle los colores a un ciego».

Esta es una frase que se lee en una de las cartas que hizo Charles Darwin a su familia durante uno de sus viajes. Es probable que en ellas, el científico inglés se haya referido a las maravillas que descubrió en la isla de las costas del Ecuador, lo que le sirvió de laboratorio para sus estudios sobre la evolución de las especies.

Hoy, 178 años después, se sabe que en las encantadas islas ecuatorianas de Galápagos existen 1.500 especies de flora y 500 de fauna.

Pero no son ni las iguanas, garzas, pulpos ni focas las que generan la atención de los visitantes como lo son las tortugas gigantes de Galápagos, que dan su nombre al archipiélago. Animales lentos e indefensos que son criados desde 1965 por el Parque Nacional con una atención y dedicación bastante especial.

Seres enormes, cuyo peso alcanzan* los 400 kilos y longitudes de hasta un metro. Lo más sorprendente era que estos vertebrados se convertían en los más viejos del planeta al superar los cien años de vida.

Se sabe que en el lugar hay 11 de las 14 especies que aún sobreviven. En total existen 2.161 tortugas, entre adultos y jóvenes, en todos los centros de crianza.

Pero no fue hasta junio del año pasado cuando uno de estos encantadores animales volvió a llamar la atención de miles de turistas, científicos y periodistas. "El solitario George", el último ejemplar de la especie de tortugas *Chelonoidis abingdonii*, murió tras una centenaria existencia, de causas naturales y sin lograr perpetuar su especie.

---
*alcanza

Pese a ello, la Dirección del Parque Nacional Galápagos ha iniciado un trabajo genético para intentar reproducir a un individuo de las características de George. El único gran problema es que este sería un trabajo de largo plazo, pues los resultados se verían en los próximos 100 años.

Si bien el flujo de turistas no se ha visto afectado, todos recuerdan a la tortuga George que se ha convertido en un símbolo de la lucha por la conservación de especies en el mundo.

Son justamente estos animales unos de los más antiguos del planeta. Las primeras especies aparecieron hace unos 200 millones de años, y hoy su historia continúa sorprendiéndonos por toda la evolución y adaptación a la que se han visto sometidas con el paso del tiempo y del espacio, convirtiéndose en las maestras de la supervivencia.

George fue una celebridad. Se calcula que unas 1.800 personas pasaban a verlo cada día. Todos querían tomarse fotos con él. Y pese a que vivió sus últimos años rodeado de tortugas, nunca logró una reproducción exitosa.

Hace unas semanas los restos de la centenaria tortuga fueron llevados al Museo de Ciencias Naturales en Nueva York para ser sometidos a un proceso de embalsamado durante los próximos seis meses. Luego volverá a Galápagos para ser exhibido en un Centro de Interpretación de Tortugas Gigantes.

De momento, la actividad conservacionista y los estudios continúan. Unas islas que han sido declaradas Patrimonio Natural de la Humanidad por la UNESCO y que son consideradas un laboratorio natural donde la huella de Darwin y George serán imborrables aún con el paso de los años.

ANSWERS: 1. A; **2.** D; **3.** B; **4.** A; **5.** C; **6.** D; **7.** A; **8.** B; **9.** A; **10.** C; **11.** D; **12.** C; **13.** B

ACTIVIDAD 2 Exposición arqueológica

—¡Hola, Caridad! ¡Qué gusto verte! Debería haber adivinado que te iba a encontrar en esta exposición. Sé que te encanta la cultura maya.

—Hola, Ernesto. Por supuesto… no me la iba a perder.

—¿Has visto la calidad de los objetos y las joyas que se exponen?

—¡Espectacular! Mira, acabo de leer un artículo sobre un templo que acaban de descubrir en la jungla de Guatemala. Es un templo que aunque es mucho más pequeño que otros en el área, tiene una importancia extraordinaria. Lo llaman el Zotz porque en las cuevas cerca del lugar había una cantidad enorme de murciélagos, pero el nombre maya es Pa'Chan.

—Oye, parece un descubrimiento increíble. Pero, ¿qué encontraron?

—Una pirámide de unos trece metros de altura… La llamaron la Pirámide Diablo porque aparentemente los lados de la pirámide son muy inclinados y muy peligrosos. También encontraron un palacio real que aparentemente es la tumba del primer gobernante de la ciudad. Dicen que data de finales del siglo IV.

—Mira, ahora que lo mencionas me parece haber leído un artículo sobre eso… Ummmmm… Sí, era el templo del Sol nocturno que aparentemente estaba enterrado tras la tumba real de la Pirámide del Diablo. La vegetación era tan densa que mantuvo escondidos todos estos edificios durante siglos.

—Exacto… otra cosa que parece increíble es que el templo esté decorado con máscaras de más de un metro de altura. Una de ellas muestra al dios Sol atravesando el cielo y otra tiene forma de tiburón… otra de jaguar…

—Así es… entre más hablas, más recuerdo… Precisamente según el artículo, lo único que aparentemente decepcionó un poco a los arqueólogos fue que la pintura de las máscaras haya desaparecido. A medida que despejaban la vegetación, esperaban ver que el tiempo no hubiera afectado demasiado la pintura.

—Bueno, lo que sí va a ayudar es explicar las teorías que han existido sobre el dios Sol, las creencias, la relación del hombre con los astros y los rituales. En fin, mucha información que va a ayudar a atar cabos.

—Y esta exhibición muestra los talentos artísticos de los mayas así como se pueden apreciar en el templo.

—Nuestro interés por esta cultura nos hace expertos… deberíamos ofrecernos de voluntarios y servir de guías…

—Mira, no es mala idea… ¿Vamos a la próxima sala?

—¡Adelante!

ANSWERS: 1. B; 2. A; 3. C; 4. D; 5. A; 6. C; 7. D; 8. B; 9. B

ACTIVIDAD 3 Aprender sin libros

Mucho más allá de las fórmulas matemáticas o de los ríos que recorrían la geografía de mi país, tuve la suerte de que en muchas de las clases que nos daban en el colegio pude aburrirme mucho y bien. Y digo bien, porque creo que no fue tiempo perdido.

Las clases empezaban a las ocho y media de la mañana. Los lunes, a primera hora, había educación física. El ejercicio me dejaba lo suficientemente relajado como para que [en] todas las clases siguientes hasta la hora del recreo pudiera dejar mi mente divagar y perderse entre decenas de ideas.

La segunda hora tocaba clase de lengua castellana. Normalmente, leíamos el texto de algún autor. Uno de nosotros empezaba a leer en voz alta y el profesor iba diciendo quién debía continuar para que todos estuviéramos atentos. Yo siempre solía seguir la lectura sin despistarme,

pero recuerdo ocasiones en las que el relato me había llevado a mi propio mundo y me encontraba a mí mismo imaginándome cosas de esa historia. Me preguntaba cosas sobre el autor, sobre sus personajes, sobre su forma de pensar y sobre las experiencias que habría vivido. Siempre quería ir más allá de lo que decía el texto. Me preguntaba también si sería capaz yo de hacer algo así, crear un pequeño mundo fantástico desde la nada. Y entonces el profesor decía mi nombre, pero yo ya hacía rato que me había perdido de la lectura. No era por pereza. Yo incluso diría que no era por distracción. La propia lectura me había conducido adonde estaba, y a mí me daba la sensación de estar haciendo algo muy productivo, aunque al profesor no solía sentarle muy bien.

En la tercera hora nos daban clase de Historia. Nunca se me ha dado bien aprender la historia que nos enseñaban en clase. Personajes vacíos, aburridos, reunidos en torno a fechas y años y meses que no me importaban. Yo necesitaba que alguien me los presentara, que me hicieran sentir algo por aquellos personajes que para mí ni siquiera eran seres humanos. Necesitaba quererlos u odiarlos, pero no que me fueran indiferentes. Supongo que por eso empecé a imaginar mis propias historias con ellos. Esas historias casi nunca tenían que ver con la realidad, pero eran un buen punto de partida para juegos que luego poníamos en marcha en el patio de recreo.

Después llegaba la clase más temida para mí, la de matemáticas. Me costaba mucho aprender matemáticas y para mí resultaba una clase de lo más aburrida, pero tenía una manera ingeniosa para hacerla interesante. Me imaginaba que era un detective muy listo que tenía que descubrir alguna fórmula secreta para encontrar al culpable de un caso de asesinato. Así me forzaba a aprender las fórmulas básicas para dar con la solución correcta.

Mis momentos favoritos en la escuela eran las horas de recreo. Yo comía en el colegio y muchos de mis amigos se iban a comer fuera, a sus casas, así que en el recreo pasaba mucho tiempo solo a mediodía.

En realidad en aquel entonces a mí me daba la sensación de que me aburría en esos recreos, pero ahora me doy cuenta de cuánto aprendí a raíz de ese aburrimiento.

Podía pasar ratos y ratos sin hacer nada más que estar acostado mirando al cielo. Esos momentos eran perfectos para darle[s] forma a las historias que surgían en mi cabeza. También se me ocurrían melodías que hubiera querido grabar con un teclado musical que tenía en casa, pero se me olvidaban enseguida.

Ahora hago memoria y creo que aprendí tanto en mis ratos muertos como dentro de las aulas. Dentro, aprendí lo que todo el mundo aprende. Fuera, aprendí lo que solo yo puedo aprender.

ANSWERS: 1. C; 2. A; 3. B; 4. A; 5. D; 6. C; 7. B; 8. D; 9. A; 10. C

ACTIVIDAD 4 ¿Internet en Corea?

Fue en junio del 2011 cuando la Asamblea General de las Naciones Unidas declaró el acceso a Internet como un derecho humano. Según el documento, se propone a todos los gobiernos que garanticen el acceso a la red para sus ciudadanos.

Su uso se ha convertido en una fuente principal para la educación, el ocio y el comercio. Pese a ello, hay gobiernos que no solo han bloqueado principales páginas, sino que además han censurado cierto tipo de búsquedas.

Corea del Norte es uno de esos países que nunca ha conocido la paz ni la libertad. Caracterizada por tener a la censura como forma de vida, es el gobierno quien decide qué información reciben sus habitantes. El uso del Internet también es controlado por esta censura.

Desde hace varias décadas, la jerarquía emprendida por los Kim implica mantener aislada del mundo a la población. Según un reporte dado en el 2006, la organización "Reporteros sin Fronteras" incluyó a Corea del Norte entre los 23 principales enemigos del Internet.

Se sabe que más de un millón de personas ya cuentan con teléfonos móviles, aunque las llamadas al extranjero están bloqueadas. Lo mismo ocurre con las frecuencias de radio y televisión, y quienes escuchan radios extranjeras pueden acabar en la cárcel.

«Cualquier régimen totalitario siempre va a buscar generar mecanismos de control a que la información fluya. Si tienes un Internet liberado, lo que permites es que la gente escoja qué información quiere tener, sea cual sea el totalitarismo, ya sea de derecha o de izquierda. Lo que generan estos estados totalitarios es un control de información. Mientras más información controlen, mientras menos información tenga la población, muchísimo mejor», así lo señala Erick Iriarte, jefe del área de derecho de nuevas tecnologías de Iriarte Asociados (Perú).

La negativa al uso del Internet es para todos, incluso para los turistas, quienes son obligados a dejar en la frontera toda la tecnología que lleven consigo, como teléfonos y *laptops*.

¿Entonces en Corea del Norte no hay Internet? No exactamente. En su lugar se ha instalado el *kwangmyong*, una suerte de Internet que es administrado por el gobierno. Este consiste principalmente en tableros de mensajes, funciones de conversaciones en línea y medios patrocinados por el gobierno. Aquí no existe el Twitter ni el Facebook.

El sistema operativo Estrella Roja funciona con una versión adaptada de Firefox, conocida como Naenara.

Pero todos aquellos que producen contenidos para este peculiar Internet deben ser cuidadosos, pues el más mínimo error hará que el periodista sea enviado a campos de adoctrinamiento.

Más allá del Internet *kwangmyong*, algunos ciudadanos de Corea del Norte tienen total acceso a un Internet sin filtros. Sin embargo, se cree que este está restringido a tan solo unas cuantas docenas de familias, directamente relacionadas con el mismo Kim Jong-un.

Lo más curioso es que el actual líder Kim Jong-un, pese a haber recibido estudios en Suiza, vista camisetas de los Chicago Bulls, sea un aficionado a las películas de Schwarzenegger, use tenis Nike y utilice una Apple Mac para diseñar sus planes de guerra justamente contra los Estados Unidos.

ANSWERS: 1. D; **2.** A; **3.** B; **4.** D; **5.** C; **6.** D; **7.** C; **8.** C; **9.** B; **10.** A; **11.** B; **12.** D; **13.** A; **14.** C

ACTIVIDAD 5 Manaus: la transformación de una ciudad

Dalsi Clei Costas y su familia viven en palafitas, casas construidas sobre zancos de madera en los arroyos de Manaos, Brasil. El temor más grande de esta madre es cuando llueve.

«Mi sobrina de 2 años se cayó en el agua, y su mamá tuvo que saltar a rescatarla. Estamos preocupados porque, si llueve, nuestras casas se inundan. Necesitamos la ayuda de las autoridades».

Entidades de salud pública informan sobre un gran número de accidentes, e incluso la muerte de niños ahogados en estos arroyos inmundos.

«Las familias de la palafitas no solo tienen que vivir con el temor de las inundaciones por el agua contaminada, por los desechos humanos y la basura, sino que también están expuestos* a un sin número de enfermedades muy peligrosas, como por ejemplo, la hepatitis, la malaria y los virus estomacales».

Las infecciones bacteriales causadas por ratas y ratones son también comunes. La falta de vivienda en una región tan poblada ha causado

---
*expuestas

que la gente se instale en los canales o igarapes que desembocan en el río Negro.

Muchos brasileños de otras partes del país comenzaron a migrar a Manaos en 1967, cuando esta ciudad, capital del estado de Amazonas, se convirtió en zona franca. Ahora, es una de las áreas industriales más importantes del país y el centro del turismo para la selva amazónica.

«Hubo ocupación desordenada de los espacios urbanos. Esto ha degradado el medioambiente y las condiciones de vida».

Pero gracias a un nuevo programa llamado PROSAMIN, muchas familias ya se han mudado a apartamentos nuevos en el centro de Manaos.

«Le[s] dije a mis hijos: *hay un patio de recreo.* Y cuando entré en el apartamento dije: ¡*hay agua, hay luz!*, y grité: ¡*Esta es mi casa!*».

El proyecto PROSAMIN incluye obras de agua potable, la limpieza de los arroyos y el control de residuos en los ríos. Nuevos parques y zonas recreativas impiden la construcción de palafitas en los canales limpios.

«Las personas de mi administración decían que era una locura. Hoy, PROSAMIN es un sueño hecho realidad en Amazonas y Manaos. La gente está muy contenta».

El Banco Interamericano de Desarrollo ha brindado apoyo técnico y financiero al proyecto.

«Yo diría que la participación de los beneficiarios y de la comunidad en general fue el secreto para el éxito de este programa».

Incluso, el crimen ha descendido en la ciudad. Antes de PROSAMIN, la policía no tenía forma de arrestar a los narcotraficantes.

«Ahora con PROSAMIN, la delincuencia se ha reducido en un 50%».

Y da gusto ver cómo los residentes y, especialmente los niños, se divierten en vecindarios más seguros.

«Antes no cantaba, tenía mucho miedo de las ratas y estaba siempre enferma, pero ahora soy feliz».

Este año, se estima que más de 15.000 personas tendrán nuevas viviendas gracias a PROSAMIN.

Mientras tanto, Dalsi Clei y sus vecinos esperan ansiosamente la oportunidad de salir del arroyo antes de que sea demasiado tarde.

ANSWERS: 1. C; **2.** A; **3.** B; **4.** D; **5.** C; **6.** B; **7.** A; **8.** C; **9.** D; **10.** B; **11.** D; **12.** A

ACTIVIDAD 6 El *best seller*, ¿nace o se hace?

Todos hemos escuchado hablar de los *best sellers*, o superventas, como aparece en el Diccionario de la Real Academia Española, que es un término que generalmente se utiliza para referirse a libros con altas ventas de ejemplares, que no necesariamente significa un alto número de lectores.

Una de las preguntas que podríamos hacernos es cuántos ejemplares se necesitan para que un libro sea considerado *best seller*. En realidad, esto depende y las cifras varían, pues no se pueden comparar los más de 1.000 millones de ejemplares vendidos de las diferentes ediciones de La Biblia con los 10 millones de ejemplares vendidos del más popular de los libros de Agatha Christie, o con los 20 o 30 mil que pueda vender alguna novela en euskera que podría ser considerada todo un *best seller* en el País Vasco.

Lo cierto es que, actualmente, el concepto de *best seller* está algo desdibujado porque, aunque como hemos mencionado, se puede aplicar al número de ejemplares vendidos, también es un término que se ha utilizado en más de una ocasión para referirse a autores o géneros que pueden interesar a diferentes públicos y que por ello tienen más "tirón popular", por llamarlo de alguna manera, lo que no necesariamente significa que sean los más vendidos o los mejor elaborados. De hecho, hay quienes consideran un *best seller* un libro de dudosa calidad literaria por su facilidad de llegar y satisfacer el gusto de las grandes masas y no de un

público más conocedor, selecto y exclusivo.

En España, los *best sellers* generalmente son novelas. Sin embargo, libros como *El Secreto* de Rhonda Byrne o *La Reina muy de cerca* de Pilar Urbano, que no pertenecen a este género literario, también han ocupado lugares privilegiados en esta lista española de los superventas.

Por todo lo anterior, podemos deducir que un *best seller* es prácticamente impredecible. Tan es así, que las grandes editoriales españolas rechazaron el primer *Harry Potter* porque lo consideraban excesivamente británico para los niños hispanos, así que fue la editorial Salamandra quien confió y publicó la historia del famoso mago y el final de la historia ya lo conocemos. Ehh... algo similar sucedió con el *Código Da Vinci*, del que se han vendido más de 60 millones de ejemplares en todo el mundo y que en España fue publicada por Umbriel.

Indudablemente, el mejor vehículo que lleva a un libro a convertirse en un *best seller* es la publicidad de boca a oreja, que es tal vez la más poderosa de las herramientas promocionales.

La crítica literaria influye poco en la creación de un *best seller*, pero no sucede lo mismo si una celebridad confiesa su debilidad por un libro o un autor. Basta recordar que cuando John F. Kennedy confesó su debilidad por las novelas de James Bond, su difusión resultó extraordinaria en Estados Unidos.

ANSWERS: 1. B; **2.** A; **3.** A; **4.** C; **5.** A; **6.** B; **7.** C; **8.** A; **9.** D; **10.** A; **11.** B

ACTIVIDAD 7 La sequía reduce el número de mariposas monarca

Millones de mariposas monarca migran por estas épocas desde Canadá y Estados Unidos hacia México, un espectáculo que atrae a muchísimos turistas a la Reserva de El Rosario en el estado mexicano de Michoacán. Aquí, las coloridas monarcas descansan tras un viaje de más de 3.000 kilómetros.

Pero este año, el santuario mexicano espera menos visitantes aladas.

«Bueno, tenemos reportes preliminares que nos hacen suponer, y subrayo, suponer, que la cantidad de superficie que va a ocupar la mariposa en esta temporada va a ser menor a la del año pasado. El año pasado, la superficie ocupada fue de 4.05 hectáreas, entonces ehh... ehh... en esta ocasión prevemos que va a ser menor porque la mariposa ha resultado afectada por la sequía prolongada que hubo en el Medio Oeste de Estados Unidos y en el Noreste de México. La sequía impacta a la mariposa por el hecho de que se alimenta de plantas silvestres del género asclepia, y esta planta, pues cuando hay sequía, no se ehh... reproduce de manera normal».

Las mariposas atraen a turistas, científicos y también a lugareños, y dan un empujón anual a la economía local.

«Cuando está el tiempo de las mariposas, tenemos chance de vender, de ganarnos un peso. Y para los legislatarios*, también, pues, es un beneficio porque todo lo que cae aquí, se le reparte a todos los legislatarios».

La tala ilegal es una de las amenazas tradicionales de los hábitats mexicanos de estas mariposas, pero la reserva se suma a los esfuerzos para combatir el problema.

Answers: 1. B; **2.** C; **3.** A; **4.** D; **5.** B; **6.** D; **7.** C; **8.** A; **9.** B

ACTIVIDAD 8 *Palabras al alcance de la mano*

Palabras al alcance de la mano
¡Silencio, por favor! Lo que para algunos puede ser un pedido casi desesperante, para otros es una realidad constante.

*legisladores

Personas que viven a diario sumergidas en el silencio absoluto, personas con pérdida de la audición, aquellas que no tienen la habilidad de oír, ya sea de nacimiento o adquirida con el tiempo.

El número de personas no es insignificante. Según la Campaña Nacional para la Salud de la Audición, solo en los Estados Unidos 28 millones de personas lo padecen en mayor o menor grado.

Debido a la gran necesidad de comunicación, se ha desarrollado el lenguaje de señas americano, que es una lengua distinta del inglés hablado. Posee su propia sintaxis y gramática, y tiene su propia cultura.

Existen grandes problemas de comunicación entre este lenguaje y el lenguaje fluido. Quienes no tienen incorporadas las señas a su vida no logran entender al otro. Y más allá del problema neto de comunicación, frente a emergencias, las personas se ven imposibilitadas de ayudar al otro ya que no existen métodos de traducción simultánea.

Si bien existen diccionarios para traducir casi todos los idiomas, no hay ningún medio electrónico de traducción del lenguaje de señas, que al fin y al cabo es el cuarto idioma más utilizado en los Estados Unidos.

Es un problema al que el doctor José Hernández Rebollar ha dedicado tres años de su vida con el objetivo de resolver cómo construir un dispositivo que traduzca los movimientos en forma escrita y oral: un guante electrónico, que está en desarrollo. Su nombre es el AcceleGlove y puede traducir los rápidos movimientos de la mano en lenguaje para oyentes.

El mexicano de 34 años de edad llegó a Washington a través de un programa que ofrece becas para estudiantes de postgrado para cursar en el extranjero. Su campo es la ingeniería eléctrica, y el guante de sensores fue su proyecto de doctorado en ingeniería.

Hernández Rebollar no es sordo, pero sabe que su invención puede ayudar a otros a vivir vidas más agradables.

El AcceleGlove no es ni más ni menos que una computadora portátil en forma de guante con un circuito electrónico superpequeño. Los sensores de este mecanismo, unidos al brazo de la persona que lo usa, permiten transformar el movimiento del brazo y los dedos en datos que una computadora puede leer y convertir en palabras oídas.

Todo este proceso tarda milisegundos. Maravilloso, ¿no? Si bien el proyecto está en marcha y avanza, aún falta el financiamiento económico para concretarlo y que esté disponible a la venta.

Soñar no cuesta nada, aunque a veces sea imposible decirlo.

ANSWERS: 1. B; 2. D; 3. C; 4. C; 5. D; 6. A; 7. A; 8. B

ACTIVIDAD 9 *Música, un remedio para el alma*

Música, un remedio para el alma.
Desde tiempos remotos existen distintas terapias para tratar situaciones traumáticas y estresantes de la vida del hombre. Pero si hablamos de pacientes niños, la combinación del juego con la terapia acelera el proceso de recuperación.

Uno de los tratamientos más utilizados es el de la terapia mediante la música, conocida como musicoterapia, donde el poder de la misma* se utiliza para lograr objetivos terapéuticos, manteniendo, mejorando y restaurando el funcionamiento físico, cognitivo, emocional y social de los pacientes. Se la califica como arte y ciencia al mismo tiempo.

La música se ha utilizado en la medicina por miles de años. Los antiguos filósofos griegos creían que [se] podía[n] sanar el cuerpo y el alma, y los americanos nativos entonaban canciones y cánticos como parte de sus rituales de sanación.

Los inicios de la musicoterapia se remiten a la Primera Guerra Mundial, cuando se utilizó música para ayudar a los veteranos a tratar la neurosis de guerra que ahora se denomina *trastorno por estrés postraumático.*

---
* de esta

Esta práctica continuó a lo largo de la Segunda Guerra Mundial, con músicos aficionados y profesionales de todo tipo que visitaban hospitales de veteranos de todo el país para interpretar sus canciones ante miles de soldados que habían sufrido traumatismos de guerra.

Los pacientes exhibieron respuestas físicas y emocionales a la música tan positivas que los médicos y enfermeras instaron a los hospitales a contratar sus propios músicos.

En los últimos años, la musicoterapia se sigue relacionando a situaciones de guerra y se aplica en niños que sufren las consecuencias de estos conflictos armados.

War Child es una organización creada en el año 1993 tras la guerra en la antigua Yugoslavia para mejorar las situaciones de estos menores durante la guerra. Se organizaron talleres musicales, constatando que la música era un buen instrumento para ayudar a la gente en tiempos de gran estrés psicológico.

Fue así como en el año 1997, *War Child* creó el Pavarotti Music Center en la ciudad de Mostar, en Bosnia-Herzegovina. Con el apoyo del tenor, es un centro que promueve la reconciliación a través de la música, donde los jóvenes de la ciudad y de todo el país, independientemente de su etnia o religión, pueden participar de distintos talleres musicales.

Particularmente en este tipo de pacientes, la musicoterapia estimula la expresión de los problemas y las inquietudes; favorece el desarrollo emocional y afectivo; fomenta la interrelación social; ayuda a resolver problemas psicológicos y a cambiar conductas establecidas, y mejora la autoestima y la capacidad de comunicación.

Cabe destacar que para que un paciente pueda practicar o beneficiarse no se requiere ninguna experiencia o habilidad musical previa.

En las sesiones de terapia, los participantes escriben canciones, hablan de las letras o escuchan música a pedido especial. Estas sesiones pueden realizarse en una variedad de entornos, incluso el hospital y el hogar.

ANSWERS: 1. B; **2.** D; **3.** A; **4.** C; **5.** A; **6.** A; **7.** B; **8.** C

ACTIVIDAD 10 *De la prehistoria al plato principal*

De la prehistoria al plato principal
Cuando mencionamos la prehistoria, no es por que querramos volver el tiempo atrás ni renegar de la modernidad, sino porque estamos hablando de un habitante que parece traído de otra época pero que hoy por hoy vive, o mejor dicho, subsiste en las selvas tropicales de Sudamérica y, sobre todo, en regiones del norte de la Argentina.

¿Su nombre? Es un tanto particular, tatú carreta, aunque es mas fácil de pronunciar que su nombre científico, *Priodontes maximus*.

Se lo conoce como el fósil viviente dado que está recubierto de un gran caparazón, una cubierta muy parecida a la de la tortuga, y se asemeja a los animales prehistóricos de la era anterior a los dinosaurios.

El hombre es su peor enemigo, lo persigue y captura por su carne o por su fama de animal raro. Pero es tímido, simpático e inofensivo y su dieta se compone de insectos.

El caparazón que lo cubre es oscuro, su cuerpo es voluminoso y sus extremidades son cortas. Cuentan con uñas muy grandes y potentes. Pueden llegar a pesar alrededor de unos 60 kilos y medir más de un metro y medio desde el hocico a la punta de la cola.

Es una de las especies en mayor peligro de extinción y es mínimo lo que se conoce sobre ellos.

En los pocos ejemplares vivos que se pueden detectar, es muy difícil estudiar su comportamiento y hábitos. Los pocos análisis que se le han hecho a esta especie han sido en las autopsias realizadas sobre ejemplares que fueron secuestrados a traficantes ilegales y que se murieron en el traslado o [el] cautiverio.

Las principales causas de la extinción de estos animales están relacionadas con la acción del hombre. En el caso del tatú carreta, los caparazones se han usado para construir instrumentos musicales muy parecidos a los violonchelos. Pero además, su carne es considerada una exquisitez y fue utilizada por décadas, sin control, por los campesinos para la elaboración de sus comidas típicas.

El tatú carreta es, actualmente, una especie que se encuentra amenazada y en peligro de extinción. Está prohibida su caza, comercio o captura.

La fundación Vida Silvestre Argentina, en su misión de rescatar y evitar su desaparición, logró impedir que varios ejemplares fueran exportados del país. La idea de los traficantes era venderlos a zoológicos de los Estados Unidos por cifras cercanas a los 500.000 dólares cada uno. Y peor aún, se estima que en algunos casos su fin no era la exposición en un famoso zoológico, sino formar parte del menú principal de algún restorán de comidas exóticas.

Por lo que hacemos hincapié, desde el sentido común, en colaborar con el cuidado de las especies en extinción. Y si alguna vez, vemos que lo ofrecen como un sabroso plato, decir simplemente «No, gracias».

ANSWERS: 1. A; **2.** B; **3.** A; **4.** D; **5.** B; **6.** A; **7.** C; **8.** C; **9.** D; **10.** D; **11.** B

ACTIVIDAD 11 La publicidad

Aprovechando que estoy en la Radio Pública, me perdonarán que les obsequie con unos minutos de publicidad.

Sí, mmm... ya sé, acabo de notar un ligero malestar en alguno de ustedes. Publicidad eso, eso que me inunda, sin yo pedirlo, con mensajes comerciales toscos, que si compre, compre,

compre. La sociedad del consumo compulsivo y todo eso. Cierto, no puedo negarlo, pero piense también, que es el territorio de las cosas que en 30 segundos nos hacen sonreír, nos hacen emocionarnos, nos hacen pensar.

Publicidad mala, hay mucha, y es deplorable, como televisión mala hay mucha, como radio mala, como periódicos malos, malísimos. Claro que usted puede elegir entre esos y no entre qué anuncios se emiten... o sí, se me ocurre, que a lo mejor, sí podemos elegir qué anuncios ver. Aquellos que nos tocan, que nos mueven, nos sorprenden, que nos tratan con inteligencia. Pero, ¿cómo?, se preguntarán. Me alegro mucho de que me hagan esa pregunta.

Vivimos un momento mágico para el consumidor. Usted, yo, todos. Es un momento en el que podemos hablar y se nos escucha. Es el poder que nos ha dado Internet y las redes sociales y, como decía Spiderman, «Un gran poder, conlleva una gran responsabilidad». Les reto a que asuman esa responsabilidad, les reto a que compartan la buena publicidad. No me digan que no tienen la capacidad. No me vengan con que las redes sociales son el Gran Hermano. No se excusen. Simplemente, digan lo que les gusta.

Háganlo con sus amigos en la cafetería, comenten en alto ese anuncio que les tocó, cuando vayan por la calle y vean un cartel chulo, háganle una foto, recuérdenlo y, desde luego, si están en alguna red social compártanlo. Les aseguro que nada hace más feliz a una marca que un buen comentario anónimo en Twitter, por ejemplo. Y adivinen qué: cuanto más feliz es una marca que ha hecho un buen anuncio y que recibe comentarios de este tipo, mejores anuncios querrá hacer. Es un plan sencillo, seguramente, iluso pensarán, pero les aseguro que torres más altas han caído y les aseguro, que usted, sí, usted, tiene el poder para promoverlo.

Solo les pido una cosa, no hagan lo mismo con la mala publicidad. No la comenten, no la compartan. Los publicitarios son, somos seres maquiavélicos que aprovecharán cualquier resquicio para apuntarse un tanto. No. Frente a la mala publicidad, el silencio, ignorarla, ni mentarla. Al enemigo, ni agua.

Oye el corazón, para Radio 5, Todo Noticias.

Dudas, sugerencias, comentarios en www.oyeelcorazon.com

ANSWERS: 1. A; **2.** C; **3.** C; **4.** B; **5.** A; **6.** C; **7.** B; **8.** D; **9.** B; **10.** C; **11.** B

ACTIVIDAD 12 Mayores cuidados

Para el 2050, se espera que unos 2.000 millones de personas en el mundo tengan más de 60 años, una situación que puede convertirse en un problema social cuando los cambios en la sociedad no permiten que los seres allegados a los ancianos tengan el tiempo suficiente para ocuparse de ellos.

Como una solución rápida para ofrecerles el cuidado necesario a las personas de la tercera edad, existen los centros geriátricos. Algunos, incluso se asemejan a lujosos hoteles con grandes comodidades y un cuidado estricto por parte de médicos y enfermeros.

Pero más allá de todos los servicios que puedan incluir estos centros, las personas mayores preferirían vivir asistidas en sus propias casas. Frente a la demanda, la respuestas.

Estados Unidos, España, Francia y el Reino Unido, encabezan las investigaciones que se realizan sobre esta inquietud. La casa inteligente es la idea que parece más atractiva.

Una de las alternativas puede ser construir una casa completamente nueva en el mismo terreno donde está ubicada la de los familiares. Monitoreada por sistemas informáticos en todo momento, que permite que las acciones que puedan llegar a ser arriesgadas para las personas mayores sean realizadas por los familiares. Un ejemplo concreto es regular la temperatura ambiente, esto puede controlarse desde el ordenador e incluso desde el teléfono móvil. Si la persona mayor siente frío, solo basta con comunicarse telefónicamente con sus familiares para que lo solucionen en el acto, se encuentren donde se encuentren.

La casita dispone de un micrófono y un altavoz que permite a los residentes estar comunicados las 24 horas con sus familiares.

Además, la casa puede ser equipada con numerosos aparatos médicos para, por ejemplo, tomar el pulso y la tensión y luego que esos datos sean transmitidos directamente al médico de cabecera.

La otra versión es un tanto más controlada, y no son los familiares quienes se encargan de solucionar las cuestiones, sino equipos especializados conectados las 24 horas con la casa de los ancianos. En este caso, la cercanía a la casa de sus familiares no es necesaria, pero la independencia es a medias, ya que viven solos en sus hogares pero con cámaras de videovigilancias que invaden su privacidad.

Francia, por ejemplo, está desarrollando una normativa que regule legalmente el uso de estos aparatos antes de ponerlos a la venta y de esta manera no interferir con las actividades íntimas del anciano.

Por otro lado, la más reciente opción que está siendo desarrollada por científicos de la Unión Europea es un robot, llamado Héctor, que puede realizar funciones como abrir o cerrar ventanas, encender y apagar luces, regular la calefacción central o recordarle al anciano que tome sus medicamentos.

El robot puede moverse por la casa de manera autónoma y responder a órdenes del tipo «sígueme» o «ve a la cocina». Las personas mayores pueden interactuar con él directamente mediante órdenes verbales, pero también a través de una gran pantalla táctil. También ayuda a los ancianos a socializar, a través de un interfaz

video-telefónico de fácil uso, para que el anciano entre en contacto con su familia, sus cuidadores profesionales o sus personas de confianza.

ANSWERS: 1. B; **2.** A; **3.** B; **4.** D; **5.** A; **6.** C; **7.** D; **8.** A; **9.** C; **10.** D; **11.** A; **12.** B; **13.** C

ACTIVIDAD 13 Madre que busca un centro de desarrollo infantil

—Buenas tardes, señor. ¿Es este el lugar donde puedo inscribir a mi hijo para el próximo año escolar? Ya he estado en varios lugares y estoy un poco confundida…

—¡Ay, cuánto lo siento! Aquí mismo es donde puede hacer los trámites. Por favor, pase y siéntese.

—Gracias. Salí muy temprano pero me ha costado un poco llegar aquí.

—Bueno, ¿está segura de que este es el centro más cercano para ustedes?

—Sí, es que no conocía la ruta de los autobuses. Ahora la conozco bien y pienso que tardaría menos de una hora en llegar.

—De acuerdo. Nuestro programa es bastante riguroso y quiero estar seguro de que la duración del viaje no le vaya a afectar y que vaya a tener suficiente tiempo para sus deberes.

—Gracias, se lo agradezco… pero creo que sí va a dar resultado. Su padre trabaja cerca de aquí. Pueden viajar juntos y por las tardes ellos pueden regresar juntos también, pues los horarios les coinciden.

—Bien. ¿Qué edad tiene? ¿Trajo el acta de nacimiento del niño?

—No, no la tengo. Di a luz en casa y no he tenido tiempo para ir a la oficina del registro civil. No creía que era tan necesario a su edad. Él tiene cinco años.

—Bueno para solicitar la inscripción en uno de los Centros de Desarrollo Infantil es esencial tener el acta. Le recomiendo que la consiga lo antes posible, si no el chico va a tener muchos problemas en el futuro. Ahora para el ingreso en el Centro, uno de los padres tiene que ser empleado de la Secretaría de Educación Pública.

—Sí, mi esposo trabaja para la Universidad Autónoma.

—Estupendo. Aquí tiene la solicitud de inscripción y las instrucciones para llenarla. No se olvide de traer dos copias del acta de nacimiento, constancia de trabajo actualizada de su esposo y cuatro fotografías recientes de su hijo. Luego, le avisaremos el día que tendrán la entrevista y entonces sí tienen que mostrar los resultados de los análisis médicos y la cartilla de vacunación.

—Y… ¿cuáles son los análisis que se tiene que hacer?

—Aquí están los nombres… son un poco difícil de pronunciar pero no duelen nada… Y no se preocupe… si los resultados son positivos, usted tendrá un mes y medio para que su hijo reciba tratamiento y luego presente los resultados negativos.

—Bueno, yo creía que inscribir al niño iba a ser menos complicado de lo que es.

—Lo importante es que usted haga los trámites para obtener el acta de nacimiento. Aquí está la dirección de un centro de registro civil mucho más cercano. Le va a ser muy útil en todos los aspectos de su vida.

Answers: 1. B; 2. D; 3. C; 4. A; 5. B; 6. B; 7. C; 8. D; 9. A; 10. C; 11. A; 12. D

ACTIVIDAD 14 Tarahumaras en el siglo XXI

Fueron muchas las culturas que formaron parte de la época prehispánica en América. Sin embargo, son muy pocas las que hoy en día siguen vigentes.

Uno de los casos es el del pueblo tarahumara, que se encuentran asentados en las montañas del estado de Chihuahua, al norte de México, y que son muy conocidos a nivel mundial por haber preservado una estructura social propia, lejos de la influencia de los modelos occidentales.

Para empezar, es muy importante que cada uno sepa el lugar que ocupa dentro del seno familiar y, de acuerdo con este, hay palabras que se pueden o no utilizar, dejando así en evidencia una clara relación entre la semántica y la jerarquía familiar.

Por ejemplo, mientras el padre utiliza dos palabras diferentes para referirse a sus hijos y a sus hijas, la madre solo utiliza una en ambos casos, y lo mismo sucede al revés: donde cada uno de los hijos utiliza un nombre diferente para el padre, pero usan uno solo para referirse a la madre.

Otra de las características destacadas del pueblo tarahumara es el respeto a las personas y a la vejez. Esto es fundamental dentro de la filosofía rarámuri, que es la practicada dentro de esta cultura. Al estar alejados de la influencia occidental, su gobierno lo ejercen ellos mismos, y el gobierno consiste principalmente de un gobernador al que ellos denominan siríame, que siempre está acompañado de mandaderos, que son quienes se encargan de ejecutar y llevar a cabo las órdenes y proyectos del gobernador.

La religión que practica el pueblo tarahumara es una especie de mezcla entre la espiritualidad, que es parte de ellos desde sus orígenes y las tradiciones que fueron inculcadas por los jesuitas durante las misiones. Como parte de sus festividades se encuentran la danza y la ofrenda, y es así como los tarahumaras piden perdón por sus acciones, dan gracias por la cosecha o los bienes recibidos y ruegan para obtener los beneficios de la lluvia.

El líder espiritual es el chamán, quien también ejerce funciones de médico para ayudar a las personas que tienen ciertos padecimientos. Resulta muy complicado entender los conceptos que tienen que ver con el universo y la religión porque están profundamente mezcladas ideas paganas con católicas. En este sentido y tomándolo como ejemplo, podríamos decir que Dios para los tarahumaras es una especie de fusión de Cristo con Onorúame, el creador del mundo.

Las ideas del bien y del mal están muy arraigadas a la cultura tarahumara y se encuentran presentes en prácticamente todos los aspectos de su vida.

ANSWERS: 1. A; 2. B; 3. B; 4. D; 5. C; 6. A; 7. A; 8. B; 9. D; 10. C

ACTIVIDAD 15 Todos los niños cuentan

Las matemáticas son fundamentales para el desarrollo mental de los niños. Los ayuda a ser lógicos, a razonar ordenadamente y a desarrollar teorías para llegar a ser pensadores independientes.

Los estudiantes con una buena formación matemática logran tener un razonamiento lógico que los ayuda a resolver no solo problemas científicos, sino enfrentarse a situaciones nuevas.

Una vez asimiladas las habilidades matemáticas, estas se utilizan en todas las materias. El pensamiento crítico adquirido ayuda a los estudiantes en todos los niveles, incluyendo la redacción de ensayos mediante el apoyo de ideas abstractas con hechos.

A su vez, las matemáticas tienen una utilidad en prácticamente todos los aspectos de la vida cotidiana. Esta es una de las razones por las que se relaciona el éxito en las matemáticas con el éxito en la vida.

Lamentablemente, los estudiantes de América Latina obtienen muy malas calificaciones en pruebas nacionales e internacionales de matemáticas.

¿Cuántos alumnos pueden hacer sumas y restas cuando terminan la escuela primaria? Solo uno de cada tres estudiantes puede hacerlo en muchos de los países. ¿Cuántos pueden resolver un problema que incluye las nociones de mitades y mediana? Ni siquiera uno de cada dos estudiantes de sexto grado es capaz de hacerlo.

Los estudiantes de América Latina van a la saga de los estudiantes de Asia o Europa. Si se mantienen las tasas de crecimiento de los últimos 10 años, se necesitarían 21 años para alcanzar la puntuación promedio que hoy día tienen los países de la OCDE en matemáticas.

¿Se puede revertir esta situación? Sí, con una escuela que transmita una idea positiva acerca de las matemáticas. Una escuela que enseñe de una manera totalmente diferente. En lugar de memorizar fórmulas y conceptos, la escuela debe mostrar a los estudiantes experiencias reales y prácticas para que puedan buscar relaciones, validar teorías y comunicarlas.

Los estudiantes aprenden más cuando tienen la oportunidad de encontrar sus propias respuestas guiados por sus maestros.

Los estudiantes han de entender los conceptos y no limitarse a repetir procedimientos mecánicos. Los niños que aprenden a pensar por sí mismos podrán resolver los problemas del mundo real y del mundo del mañana, podrán destacarse tanto en la escuela como en la vida, estarán preparados para ser ciudadanos productivos en la sociedad del conocimiento.

El camino hacia el éxito en la vida comienza con las matemáticas.

Para más información sobre nuestro enfoque de matemáticas, visite la página de educación del Banco Interamericano de Desarrollo.

ANSWERS: 1. D; 2. A; 3. A; 4. B; 5. C; 6. B; 7. C; 8. A; 9. B; 10.D; 11. A

ACTIVIDAD 16 Discuten fórmulas para la mejor gestión de desechos tóxicos

Bajo los auspicios del Programa de la ONU para el Desarrollo, concluye hoy en Nueva York, una reunión que analiza las metas establecidas para el manejo de desechos peligrosos acordadas en la conferencia Río+20.

Representantes de siete agencias de Naciones Unidas, el Banco Mundial y la Organización para la Cooperación y el Desarrollo Económico estudian vías para priorizar la acción internacional en esa actividad.

El director del grupo de Medio Ambiente y Energía del PENUT, Veerle van der Werf, señaló que su organismo considera que la gestión racional de los productos químicos y la contaminación asociada como una dimensión importante de la erradicación de la pobreza.

La gestión segura de los productos químicos, así como las sustancias contenidas en los celulares y los ordenadores que han sido desechados, fue uno de los temas de la agenda del encuentro.

Las poblaciones de los países en desarrollo enfrentan, habitualmente, el mayor riesgo de exposición a sustancias peligrosas debido a sus ocupaciones, estilos de vida y la falta de conocimiento de las prácticas de manejo seguro, a menudo exacerbadas por una débil reglamentación nacional, la salud y los sistemas educativos.

Jorge Millares, Naciones Unidas, Nueva York.

ANSWERS: 1. B; 2. B; 3. A; 4. D; 5. D; 6. A; 7. C; 8. A; 9. C; 10. D

ACTIVIDAD 17 El cine y la moda y viceversa

El cine y la moda, desde hace mucho tiempo, más que desarrollarse de manera paralela, lo hacen casi de manera simbiótica. El cine se alimenta de la moda y viceversa.

Se han creado colecciones alusivas a ciertos géneros o estilos cinematográficos y se han filmado películas que cuentan, de modo ficticio o no, lo que sucede detrás de las pasarelas, cómo es en realidad la vida de una modelo, la historia de los más reconocidos diseñadores y hasta el proceso de creación y edición de una de las revistas especializadas en moda más reconocidas en el mundo.

Pero la relación entre el cine y la moda no termina ahí. Hay películas que, independientemente de su género o contenido, se han convertido en clásicas por el estilismo de sus personajes.

Tal vez el ejemplo más claro y evidente de esto, es la cinta *Desayuno con diamantes,* de 1961, en donde el estilo de Audrey Hepburn ha logrado romper la barrera del tiempo y sigue siendo considerado todo un clásico de la cultura contemporánea.

Otro caso es el de *Fiebre de sábado por la noche,* de 1977. Este caso en particular sirvió como una especie de espejo para reflejar la moda y el estilo de vida de un grupo de personas a finales de la década de los 70. Sobraría decir que John Travolta y su traje blanco se convirtieron en el icono de una generación.

En la década de los 80 fueron muchas las películas que dejaban en claro cuál era la tendencia en la moda, pero posiblemente hayan sido dos las que impusieron un par de prendas y accesorios que iban a quedarse por mucho tiempo en el guardarropa y en la memoria colectiva. *Flashdance,* con los *leggins* y los calentadores que usaba Jennifer Beals, y *Top Gun,* con la chamarra de cuero negra y los lentes o[b]scuros Ray Ban que utilizó Tom Cruise.

En años recientes, quizá una de las celebridades más reconocidas por su estilismo y por marcar tendencia en la moda es Sarah Jessica Parker, y esto se lo debe al personaje de Carrie Bradshaw, que durante muchos años protagonizó una serie de televisión muy exitosa que después dio también el salto a la pantalla grande. Basta recordar que el tesoro más preciado de su protagonista eran unos zapatos de Manolo Blahnik.

También hay cintas, como *María Antonieta* o *Lo que el viento se llevó,* que en algún momento se convierten en una especie de escaparates y convierte en protagonistas a los fabulosos vestuarios de aquellas épocas, que fueron estudiados de manera minuciosa para reflejar lo más fielmente posible la moda de los años en los que se desarrollan dichas historias.

ANSWERS: 1. B; 2. C; 3. D; 4. B; 5. C; 6. B; 7. D; 8. A; 9. D; 10. A

ACTIVIDAD 18 Las sequías: el peligro natural más destructivo del planeta

Las sequías causan la muerte y el desplazamiento de más personas que los ciclones, las inundaciones y los terremotos juntos, lo que las convierte en el peligro natural más destructivo del mundo.

Debido a los efectos del cambio climático, se prevé que las sequías aumenten en frecuencia e intensidad. Sin embargo, la mayoría de los países, no tienen políticas eficaces para afrontar este fenómeno. Por esa razón, expertos de distintas agencias especializadas de Naciones Unidas y tomadores de decisión se encuentran reunidos esta semana en Ginebra para debatir políticas nacionales eficaces para reducir el impacto de las sequías.

Conversamos con Oscar Rojas, agrometeorólogo de la Organización de la ONU para la Alimentación y la Agricultura, la FAO, que participa del encuentro. Le preguntamos qué tan grave es el problema de las sequías.

—En realidad, no solo influye a América Latina sino a nivel global, ah. Hemos visto que, por ejemplo, los últimos años, eh digamos, si tomamos por ejemplo, el 2011 o 2012 que ha afectado la zona de gran producción de cereales de Estados Unidos, el maíz... igual que Rusia, y a veces, cuando se afecta Argentina, Brasil, esto no solo repercute en la disponibilidad de alimentos, sino que en el aumento de los precios, lo cual afecta a nivel global.

—¿Por dónde deberían empezar los países para afrontar el problema?

—Bueno, es una de las partes que se está discutiendo ahora acá en Ginebra. Se está hablando de que se debe definir las políticas a niveles nacionales, dependiendo de qué tan vulnerables son los diferentes países a la sequía, que eso dependerá de estudios de la probabilidad de ocurrencia, de frec... de la sequía en los diferentes países. También hay que integrar lo que se ha conocido siempre como los sistemas de alerta temprana, que son sumamente importantes a la hora de poder definir un programa de acción para poder... este... mitigar los efectos de la sequía. Tons*, por ahí deberían comenzar los países, determinar sus riesgos, determinar sus vulnerabilidades.

—¿Existen ejemplos de buenas prácticas que se puedan replicar?

—Sí, existen algunos países que ya han implementado sus sistemas, tanto en los países desarrollados como en las regiones que son menos desarrolladas. En Estados Unidos está[n] varias instituciones que coordinan lo que sería el monitoreo, el seguimiento de las sequías. En países como África, está[n]... buenos ejemplos sería el AGRIMETAL en África del Oeste, tenemos este... también, centros de... como el IPAC que estaba con base en Nairobi, que ya tienen alguna experiencia en lo que es el análisis de los datos para prever si va a haber un problema de sequía en el año a venir.

—¿En qué consiste el Sistema Global de Monitoreo de Sequías?

—Lo que se está hablando, es de integrar todas aquellas instituciones que en estos momentos trabajan y quieren información para analizar la sequía. La idea sería coordinar que esas instituciones puedan intercambiar métodos y dar y da... información para poder tener un mejor análisis de la situación, cuándo es que esta empieza, cuál es el impacto económico que esta sequía puede tener y todo esto, también, cómo puede afectar los precios en el mercado internacional.

Escuchábamos a Oscar Rojas, agrometeorólogo de la FAO.

Carlos Martínez, Naciones Unidas, Nueva York.

_____
*Entonces

ANSWERS: 1. D; 2. A; 3. B; 4. D; 5. B; 6. A; 7. C; 8. D; 9. A; 10. C

ACTIVIDAD 19 La luz de los gadgets y el estrés

Resulta impresionante cómo ha cambiado la vida en los últimos años, y en este caso me refiero principalmente a las costumbres. Precisamente hace un par de días, comentaba con unos amigos que, antes, lo último que hacía antes de dormirme y lo primero que hacía al despertar era encender la televisión. Ahora, lo último que hago antes de dormirme y lo primero que hago al despertar, es ver el móvil. O el iPad, lo que mi mano encuentre primero, porque para cuando tengo algún aparato en la mano, lo más seguro es que todavía ni siquiera haya abierto los ojos.

Pero esto va a cambiar, porque leí en una revista que la luz que emiten los *gadgets*, e incluso las lámparas, durante la noche, pueden provocar depresión y disminuir la capacidad de aprender porque esta luz aumenta los niveles de una hormona que genera estrés en nuestro organismo y esto altera negativamente nuestro desempeño mental, que puede manifestarse en angustia o falta de sueño.

Esto se dedujo por un estudio de la Universidad Johns Hopkins Krieger, en Estados Unidos, en el cual se expusieron unos ratones a luz brillante y se observaron unas células especiales en sus ojos que se activaron al exponerse a este estímulo. Esto afectó su estado de ánimo, su memoria y su aprendizaje. De hecho, el experimento consistía en que los ratones estuvieran expuestos a un ciclo de tres horas y media de luz y después a otras tres horas y media de oscuridad, y con esto se dieron cuenta de que estos animales desarrollaban ciertos comportamientos, como depresión y falta de interés por el azúcar e incluso por algunas otras actividades que normalmente les resultarían placenteras. Otra cosa que observaron es que los ratones tampoco aprendieron tan rápido ni recordaron tareas después de

este experimento. Uno podría pensar que «bueno, eso les pasa a los ratones», pero casualmente, estas células que vieron en los ojos de los roedores también se encuentran en el ojo humano, y por eso se concluye que ante el mismo estímulo, el resultado también sería el mismo.

El artículo de la revista cerraba diciendo que por eso, los humanos debemos tener cuidado con el tipo de exposición prolongada a la luz y regular la intensidad de la misma* durante la noche. Por ejemplo, una solución podría ser usar esas lámparas pequeñitas que se usan para leer o regular también el brillo en la pantalla de los móviles o las *tablets*, en caso de que realmente se tengan que utilizar en la noche, cuando ya no hay luz natural.

En cualquier caso, creo que no estaría de más dedicar el tiempo de descanso precisamente a descansar. Claro, después de revisar si hay alguna notificación nueva en Facebook, algún Tweet interesante, algo digno de compartir en Pinterest, alguna actualización de blog o algún correo electrónico que no pueda esperar a mañana.

ANSWERS: 1. B; 2. A; 3. A; 4. C; 5. A; 6. C; 7. D; 8. C; 9. A; 10. A

ACTIVIDAD 20 Medidas de adaptación al cambio climático

Hablar de cambio climático resulta familiar para todos y todos también sabemos la importancia de tomar medidas al respecto para adaptarnos a este. Sin embargo, no en todos los países se toman las mismas acciones.

Por ejemplo, la Ciudad de México es uno de los lugares más poblados del mundo. Por ello, una de sus más grandes preocupaciones ambientales es la calidad del aire, y ahí es donde dirigen gran parte de sus esfuerzos. Una de las primeras acciones que se tomaron fue impedir que los coches con más de 10 años de antigüedad circu-

*de esta

laran todos los días. Para esto se creó el programa *Hoy no circula*, que establece cuáles coches circulan qué días, dependiendo de su número de placa. Cuando la contaminación alcanza niveles alarmantes en la capital mexicana, este programa pasa a su etapa de contingencia y, en lugar de no circular un día a la semana, algunos vehículos dejan de circular dos. Este programa reduce anualmente emisiones de gases de efecto invernadero por 547.400 toneladas de bióxido de carbono.

En Quito también se han tomado acciones de adaptación al cambio climático. En este sentido, la capital de Ecuador tiene como una de sus prioridades promover la conservación de áreas naturales y también incrementar el componente natural en las zonas urbanas. De esta necesidad, surge la Red Verde Urbana de Quito, que tiene como meta alcanzar un mínimo de 9 metros cuadrados de área verde por habitante de la ciudad y, de esta manera, estar en línea con el Índice Verde establecido por la Organización Mundial de la Salud.

Se pretende con esta red, generar una vinculación en espacio entre las áreas naturales de conservación y las que tienen potencial ecológico y así no solo mitigan los impactos visuales, sonoros y atmosféricos, sino también colaboran con el mantenimiento del ciclo del agua, y le proporcionan hábitat, refugio, oportunidades de alimentación y supervivencia a algunas especies de la vida silvestre.

Si cambiamos de continente, en Europa también se toman medidas importantes en lo que a adaptación al cambio climático se refiere, y Alemania hace algunos años presentó un plan con el que dejó muy claras sus intenciones de desempeñar un papel de liderazgo en este sentido. En su momento, el ministro de medio ambiente alemán calificó esta iniciativa como la más ambiciosa porque era la única en todo el mundo que concretaba cómo llevar a la práctica estas acciones con las que pretendía reducir hasta el año 2020 la emisión de gases efecto invernadero hasta un 40%, superando así a Bali, que había acordado previamente una reducción del 30%.

Entre estas acciones estaba aumentar el porcentaje de energía solar, eólica y de biomasa del 12 a más del 25%, así como aumentar el uso de biocombustibles y el suministro de biogas a través de la red de gas natural.

ANSWERS: 1. A; **2.** B; **3.** B; **4.** D; **5.** C; **6.** B; **7.** D; **8.** A; **9.** B

Audio Texts

Audio Scripts and Answer Keys

Audio Instructions: To simulate the exam, either use the Audio DVD (Exam Simulation Full Activity) or go to the Downloadable Audio folder in the AP Spanish® eText or Digital Courseware. The on-page audio links in the eText will play only the authentic audio sources.

> Script of the exam instructions for Part B-2:
> Primero tienes 1 minuto para leer la introducción y las preguntas.
> *(1 minute)*
> Ahora escucha la selección.
> *(Authentic recording plays.)*
> Ahora tienes un minuto para empezar a responder a las preguntas para esta actividad. Después de un minuto, vas a escuchar la grabación de nuevo.
> *(1 minute)*
> Ahora escucha de nuevo.
> *(Authentic recording plays again.)*
> Ahora termina de responder a las preguntas para esta actividad.
> *(Pause to complete the assignment. Time will vary, 15 seconds per question.)*

ACTIVIDAD 1 El papel de la radio comunitaria

Según la Declaración de los Derechos Humanos, todo el mundo tiene derecho a la educación, la sanidad, la vivienda o a un trabajo digno, y la comunicación. Entender la comunicación como un derecho humano y no como un negocio es considerar a los oyentes ciudadanos y no meros consumidores.

En este marco, las radios comunitarias son la nueva herramienta para poner en práctica el derecho de todo ser humano a expresar, recibir, difundir e investigar información, ideas u opiniones.

«Hola, mi nombre es María Isabel Miguel Vásquez. Tengo 17 años y soy comunicadora indígena en la comunidad de Santa Amalia de Tututepec de Oaxaca. Ehh... aquí, lo único que se pide es que pues te desenvuelvas, que lo hagas bien y que le eches todas las ganas».

Por radio comunitaria se entiende la programación de una emisora que está orientada a generar espacios de expresión, información, educación, comunicación, promoción cultural, formación y debate, y que se ponga al servicio de la comunidad a la que pertenece.

La mayoría de los núcleos de población donde se asientan emisoras de radio comunitaria son zonas en las que, por diferentes causas, ya sea geográfica o por tratarse de poblaciones en vías de desarrollo, la radio se convierte en el único medio de información.

«Los centros no están ubicados en los centros poblados, sino que están ubicados en las comunidades rurales [a las] que solamente se pueden llegar a través de la radio».

La única manera de avisar de una inundación, de la visita del doctor o de fomentar el desarrollo intelectual [es] con programas de aprendizaje a través de las ondas.

«El método requiere la elaboración de textos, requiere también, la... la difusión de las clases por medio de la radio y requiere también la atención de una persona que asista o que apoye, por lo menos eventualmente, a las personas que están estudiando con el método a distancia».

En lugares donde las nuevas tecnologías todavía no han arraigado, la radio es el instrumento de expresión principal, un medio accesible que llega a todos y que además se nutre del esfuerzo de los propios ciudadanos que voluntariamente llenan de contenido las horas de emisión para mejorar su comunidad.

«Y precisamente, ese es el proyecto de la radio comunitaria. Tener una radio en el* cual nosotros podamos contar en... de un medio accesible en donde no simplemente los medios masivos de comunicación vengan y nos llenen las ideas de algo que no es nuestro. Que la gente se dé cuenta de lo propio que tienen en la comunidad, de lo esencial».

ONU visión, Celia Gutiérrez y Ana Córdoba. Una producción de la Escuela Creativa de Radio, Tea FM para Radio ONU.

ANSWERS: 1. B; 2. D; 3. A; 4. B; 5. C

ACTIVIDAD 2 Turismo mundial: un sólido pilar de la economía

El turismo mundial es un sólido pilar para las economías de los países y estimula el crecimiento. Más de mil millones de turistas viajaron a otras partes del mundo en 2012.

El turismo internacional creció un 4% según la Organización Mundial del Turismo. La OMT indica que, a pesar de la inestabilidad económica mundial, las llegadas de turistas internacionales crecerán más del 3% en 2013. En una entrevista con nuestra colega Eva Reverter, el Director Regional para la Américas de la OMT, Carlos Vogeler, detalló los resultados obtenidos en 2012 y analizó las perspectivas para el 2013:

—El turismo internacional ha experimentado un crecimiento en torno al 4% en el 2012,

eso significa que habremos alcanzado 1.035 millones de turistas internacionales que han cruzado fronteras. Y eso, como digo, significa un aumento del 4%, por lo tanto, el turismo después de la crisis que impactó en el año 2009 ha seguido manteniendo crecimientos sostenidos anualmente.

—¿Europa sería la región más visitada?

—Europa, sorprendentemente, ha tenido un magnífico comportamiento en el 2012 a pesar de la crisis financiera que está afectando y, ciertamente, ha sido la región más visitada, seguida de Asia Pacífico y a continuación las Américas.

—Hábleme de la situación en las Américas, han subido un 4%.

—Sí, en línea con el crecimiento mundial, sin embargo, con mejores comportamientos porcentuales en Centroamérica que ha estado en... en el 6%, por lo tanto, superando la media mundial e incluso Sudamérica que ha estado ligeramente por encima del 4%.

—¿Cómo ha afectado la crisis que se vive en Europa al turista europeo?

—Yo creo que, fundamentalmente, le ha afectado en los hábitos de viajes pero no necesariamente en renunciar a su viaje. Lo que se está observando es quizá un menor gasto en el viaje, en lo que viene como consecuencia de haber tenido que reducir la estancia, el período de duración de las vacaciones pero, sin embargo, los mercados del este de Europa han tenido un comportamiento muy bueno, y notablemente Rusia, tanto como emisor como... como receptor. Los destinos más maduros de Europa también se han visto ligeramente favorecidos por la primavera árabe, por la situación negativa en Oriente Medio. Oriente Medio ha descendido en su tasa de turismo receptor, y eso indudablemente ha favorecido al receptor europeo.

---
*la

—¿Cuáles son las predicciones de la OMT para el 2013, y concretamente para las Américas y para España?

—En el 2013, se prevé que el crecimiento esté en una horquilla del 3 al 4%, quizá, por lo tanto, ligeramente inferior al del 2012, pero un crecimiento al fin y al cabo importante en esta situación de crisis. En... ehh... las Américas, el crecimiento estará en línea con la media mundial, por lo tanto, en esa horquilla del 3 al 4%. Y en el caso de España, no tenemos datos demasiado concretos de cuál podría ser la situación, pero pensamos que va a estar en línea con ehh... la situación mundial que va a asemejarse mucho a la situación europea.

«Escuchamos al Director Regional para las Américas de la Organización Mundial del Turismo, Carlos Vogeler».

ANSWERS: 1. B; 2. B; 3. A; 4. D; 5. A; 6. C

ACTIVIDAD 3 Setenta y cinco años de la primera exhibición del *Guernica* de Picasso

Este país no estaba para celebraciones, pero como así estaba previsto antes de que Franco la liara parda, así se hizo. En un día como hoy, 13 de julio de 1937, España inauguró su pabellón en la Exposición Internacional de París. Asunto este que, dicho así, no tiene mucha miga. Pero aquel acto, trajo consigo un acontecimiento que con el tiempo daría mucho que hablar y mucho que celebrar. Hoy, hace 75 años que el mundo vio por primera vez el *Guernica* de Pablo Picasso.

Picasso llevaba empadronado en Francia la tira de años, y ni él prestaba mucha atención a España ni el gobierno de la República se la prestaba a él. Pero hete aquí que seguía la guerra civil y el ejecutivo republicano decidió aprovechar en la exposición de París, **la baza** de un artista español de renombre para atraer la atención y las simpatías internacionales hacia la legalidad vigente.

Le encargaron a Picasso que pintara un mural de 11 metros para exponerlo en el pabellón español, pero el pintor andaba perezoso. «Qué les pinto yo a estos», debió pensar. Además, tenía unos líos personales tremendos: su mujer por un lado, su antigua amante con su hija por otro, la amante actual intentado marcar territorio y Picasso fue demorando el trabajo y la entrega.

Pero en estas, se produce el famoso bombardeo de Guernica, solo dos meses antes de la inauguración de la exposición de París. Y a Picasso, se le aparece la virgen con las musas de la mano. He ahí el *Guernica*, que por primera vez se vio aquel 13 de julio y por el que el gobierno de la República pagó 200.000 francos.

Cuando se clausuró la exposición de París, estaba claro que ese pedazo de cuadro no podía venir a España porque Franco hubiera montado con él un auto de fe. Por eso estuvo viajando por el mundo hasta que quedó bajo custodia del MoMA en Nueva York. Precisamente, la demostración de que el gobierno español había pagado el cuadro fue lo que permitió que cuando España conquistó la democracia reclamara su derecho a recuperar el *Guernica*, sino todavía los estaríamos piando.

En fin, sean razonablemente felices y disfruten de un verano encantador.

ANSWERS: 1. B; 2. A; 3. A; 4. C; 5. A; 6. B

ACTIVIDAD 4 Sonambulismo en Estados Unidos

El Buscador de Radio 5.
Si han convivido durante algún tiempo con una persona sonámbula habrán visto que los mitos que enseñan en el cine o la televisión no son ciertos. Los sonámbulos abren los ojos cuando caminan estando dormidos y no van con los brazos estirados delante de ellos. Algunas veces hablan, pero no pueden sostener conversaciones porque no escuchan lo que se les dice. Al

contrario del mito, no es peligroso despertarles pero sí que es casi imposible hacerlo. Lo mejor es llevarlos de vuelta a sus camas e impedir que salgan a la calle o se pongan a hacer actividades peligrosas como encender un fuego.

Recuerde que un sonámbulo puede hacer las mismas actividades que usted, como caminar o mover los muebles de sitio, con la única diferencia de que al día siguiente no se acordará de nada de lo que haya hecho.

Vayan a www.enfermepedia.com.

Un estudio llevado a cabo en Estados Unidos ha desvelado que al igual que en España y al resto del mundo, el sonambulismo es más común en la infancia y en la adolescencia. Además, se supo que el número de estadounidenses que son sonámbulos ronda el millón de personas. La investigación se hizo con casi 20.000 personas que vivían en 15 estados diferentes de Estados Unidos. A todos se les preguntó si tenían sonambulismo, cuántos episodios, si lo habían sido en la infancia y si habían tenido otros trastornos del sueño, como terrores nocturnos. Se les preguntó si tenían antecedentes familiares con la misma alteración y si padecían algún trastorno psiquiátrico como depresión o ansiedad o si consumían antidepresivos.

Las conclusiones fueron interesantes, quienes padecen depresión es más probable que tengan sonambulismo. De igual guisa, sucedía con quienes sufrían de trastorno obsesivo compulsivo y con los que abusaban del alcohol u otras drogas. Asimismo, quienes consumían antidepresivos como Prozac tenían tres veces más probabilidades de padecer dos episodios o más de sonambulismo al mes. Al parecer, esta relación entre sonambulismo y depresión, drogas y trastornos se debe a que muchos de los fármacos que tratan estas afecciones actúan sobre estructuras del cerebro que regulan el sueño.

Combatirlo no es fácil, pero hay que empezar regulando los hábitos del sueño como dormir a las mismas horas siempre y, si no funciona, optar por algún fármaco. Recuerden la página www.enfermepedia.com.

elbuscadorradio5 (con número) @rtuv.es.

ANSWERS: 1. A; **2.** D; **3.** C; **4.** B; **5.** D; **6.** B; **7.** A

ACTIVIDAD 5 Las dos personalidades de Damián Jamerboi: el químico y el viajero

Digamos que esto es como Dr. Jekyll y Mr. Hyde, o sea, tengo dos personalidades. Por un lado, el viajero que es el que está hablando ahora, el Jamerboi, y por otro lado el científico, o sea mi... mi formación original, mi profesión, yo soy doctor en Química, yo trabajaba en la universidad como investigador y docente. Ehh... lo de los viajes en bicicleta surgió a partir de que terminé mi carrera como licenciado en Química, necesitaba así como un corte, un... un despegue un poco de... de la realidad abrumadora de los estudios antes de meterme con el doctorado, y ahí fue que realicé mi primera travesía que fue por toda la Patagonia argentina.

Ehh... la primera experiencia que tuve en la bicicleta, si bien fue muy dura, porque me largué prácticamente sin tener idea, o sea, cómo llevaba el equipo, la cantidad de equipo que llevaba, por uno de los terrenos más difíciles que uno puede pedalear en el sur argentino, me dio vuelta la cabeza, o sea, fue una experiencia increíble, de autoaprendizaje, de autoconocerme a mí mismo y de sortear dificultades, ¿no?, sortear y resolver las dificultades que iban surgiendo en el camino.

A partir de eso, mientras estaba haciendo mi doctorado, cada vez que tenía vacaciones en la universidad me escapaba con la bicicleta, y así fui haciendo pequeños viajes, pequeños en relación a' este por supuesto, ¿no?, todo por la zona de Argentina y países limítrofes, y justamente

*con

en mi tercer viaje, cuando estaba rodando por la Puna argentina, a casi 5.000 metros de altura, me encontré con otro ciclista, con Jonas, un chico de Suiza, con el cual pedaleé 10 días. Él venía justamente, haciendo su viaje de Alaska a Patagonia. La experiencia que él me transmitió de su viaje me dio vuelta la cabeza. Realmente me fascinó. Él hablaba perfectamente el español, entonces lo que él me contó de cómo había sido la interacción al... a lo largo de todos los países en las culturas, me llamó muchísimo la atención. Dije: «Pucha, yo quiero hacer esto, en algún momento yo quiero largar todo e irme a recorrer América en bicicleta». Eso fue en el año 99, o sea, pasaron 8 años, que fueron difíciles, donde tuve que ahorrar, dejar cosas de lado, o sea, todos los gustitos que [a] uno le gusta darse normalmente, yo los tuve que ir dejando de lado porque en Argentina no es fácil ahorrar, entonces era pesito a pesito, hubo que sortear una crisis económica, digamos no fue fácil hasta el punto en el que dije o lo hago ahora o no lo hago nunca. Ya el sistema académico me estaba aprisionando de una manera en el' cual el nivel de responsabilidades ya iba a ser imposible dejar de lado, entonces dije: «Bueno, acá planto bandera». Renuncié a mi trabajo, dejé familia, dejé amigos, novias, todo de lado para abocarme a este viaje que, como digo yo, no es un viaje de turismo, esto es una filosofía de vida, o sea, mi viaje... por eso yo me considero más un viajero que un turista porque el turista va a un lugar, recorre, ve las cosas más destacadas, regresa a su casa y sigue con su rutina, con su trabajo, con su... con sus cosas de cada día. Para mí, mi rutina es el pedaleo de cada día, mi trabajo es el trabajo que hago para Aldeas Infantiles a nivel voluntario, digamos, es otra realidad, o sea, se transforma.

Answers: 1. B; 2. D; 3. A; 4. C; 5. A; 6. C

*la

ACTIVIDAD 6 *Storytelling*

Diseño sensato

Uno de los términos más de moda en todo lo que tiene que ver con comunicación hoy en día es el *storytelling*. Todos tenemos historias que contar, nosotros como individuos y las marcas como empresas. Son sin duda, historias que realzan sus aspectos más positivos cuando se incluyen en mensajes publicitarios. Seguramente por eso la publicidad tiende a mostrarnos mundos idealizados, gente perfecta y de deslumbrante sonrisa ante la que nos quejamos y criticamos por irreal.

Y así es, irreal, por eso es publicidad. Al igual que irreal es la ficción, las series, las películas, las novelas. ¿Saben cómo nos referimos a los anuncios en el mundo publicitario? Pues les llamamos pelis, películas, y en cierta manera así es como las vivimos, como pequeñas historias de 30 segundos.

Intentan modificar la conducta del espectador, cierto, utilizan los más sucios trucos permitidos por la ley para hacerlo sin duda, pero es que cuando se hace bien, es pura magia, es reír, es llorar, es emocionar, es sorprender.

No hay más que mirar el palmarés de cualquier buen festival publicitario o verse algunos capítulos del excelente Mad Men, por ejemplo, para sentir esa emoción de cómo se cuenta una buena historia. Las nuevas tendencias en publicidad no buscan ya tan directamente venderte algo, sino contarte una historia, caerte simpático, generar un vínculo con el espectador. Parece que se huye, lentamente, eso sí, de la marca todopoderosa en moda, por ejemplo, la logomanía va desapareciendo y los *coolhunters* detectan que, en general, la marca pasa ligeramente a un segundo plano.

¿Y qué es lo que está ahora en el primer plano? Pues las experiencias, las historias, la capacidad de hacerte sonreír, la complicidad con el usuario. Según esto, y espero estar aquí todavía para contarlo, la publicidad vuelve a un territorio fértil y mullido, el de contar historias y hacerse más terrenal, donde la marca se baja del pedestal y comparte algo contigo de una forma informal, coloquial y, sobre todo, mucho más respetuosa con tu inteligencia.

En fin, cosas breves, amigo Sancho, que non crederes... o quizá algo está cambiando.

Oye el corazón, para Radio 5, *Todo Noticias*. Dudas, sugerencias, comentarios en www.oyeelcorazon.com

ANSWERS: 1. C; **2.** D; **3.** A; **4.** C; **5.** B

ACTIVIDAD 7 Los graves daños de consumir grasas trans en la dieta

Las grasas trans, o parcialmente hidrogenadas, son las que provienen de aceites vegetales sometidos a un proceso industrial de electrólisis. Debido a los beneficios comerciales como prolongar la duración de la comida sin necesidad de refrigeración, las grasas parcialmente hidrogenadas se utilizan ampliamente en numerosos productos alimenticios. Recientemente, la Organización Mundial de la Salud destacó la importancia de prohibir las grasas parcialmente hidrogenadas en los mercados de alimentos.

Conversamos con Enrique Jacoby, asesor de nutrición de la Organización Panamericana de la Salud, sobre los daños que las grasas trans producen a la población. Indicó que estas, que se utilizan en lugar de la grasa común o saturada, fueron descubiertas en la década de 1960 por la industria alimentaria.

«Pero al mismo tiempo se descubre, ya posteriormente, que es una grasa que mata 10 veces más rápido, [produce] más daño cardiovascular, más daño en las arterias que la grasa saturada, y que hay que hacer lo imposible por retirarla del mercado y del consumo popular porque es un veneno peligrosísimo. Podría tener un equiva-

lente en el tabaco, yo creo que hasta... hasta peor, porque mata más rápido».

El experto señaló que varios países ya han comenzado el proceso de eliminación de las grasas trans en los alimentos.

«Y esto está ocurriendo digamos en Europa, este... América Latina a... hay varios esfuerzos, están bastantes avanzados en... este... en Canadá. Y por supuesto, yo creo que ehh... la región con Europa, me refiero al hemisferio americano y Europa, son los que quizá han avanzado un poco más en esta historia, ¿no?».

Al igual que las grasas saturadas, o la grasa común que contiene la carne de vaca o leche, las grasas trans o parcialmente hidrogenadas que son producidas industrialmente también se encuentran en la naturaleza, explicó Jacoby.

«La carne de una vaca tiene algo de grasa trans pero es pru..., en cantidad es mínima, y la leche también la tiene, es mínima. No hay ninguna asociación de esa presencia de grasa trans con enfermedad cardiaca. La grasa trans está en los productos industrializados procesados, está en las galletas, es el* que le da el "crack" a las galletas crackers, a las galletas dulces. Es la que produce el hojaldre, mucho más barato que usar este... mantequilla, usan esta porquería. Tengo que llamarla porquería porque eso es lo que es. Está en los productos procesados, muchos sobre todo productos de ehh... pastelería, y en gran cantidad de productos de pastelería».

Enrique Jacoby, de la OPS, señaló que quienes tienen que retirar del mercado las grasas parcialmente hidrogenadas son los productores de esos alimentos. Agregó que debido a los graves daños que causan a la salud, las grasas trans, o parcialmente hidrogenadas, deberían estar eliminadas en todo el mundo.

Carlos Martínez, Naciones Unidas, Nueva York.

ANSWERS: 1. D; **2.** C; **3.** A; **4.** B; **5.** B; **6.** D

*la

ACTIVIDAD 8 Las pequeñas y medianas empresas, agentes de dinamismo económico

Expertos de la economía mundial consideran que aún no se explotan en toda su magnitud las pequeñas y medianas empresas, y que estas pueden ser importantes agentes para dinamizar las economías.

En la reciente Cumbre de la Comunidad de Estados de América Latina y el Caribe, la CE-LAC, y la Unión Europea celebrada en Santiago de Chile, se presentaron sugerencias sobre cómo estas empresas pueden fortalecer las relaciones entre esas dos regiones.

Álvaro Calderón, oficial de asuntos económicos de la CEPAL, participó en la elaboración de esas propuestas. El experto habló a la radio ONU sobre la importancia de esas empresas, que también son conocidas por el acrónimo PyME, y sobre los acuerdos adoptados en la cumbre.

«Las PyMES son la columna vertebral del tejido empresarial de prácticamente todas las economías del mundo. Son el 99% de las empresas o establecimientos empresariales que existen en los países. Son responsables de gran parte del empleo y tienen participación menor en la producción y una participación bastante más pequeña en las exportaciones».

Las pequeñas y medianas empresas, apunta el experto de la CEPAL, son heterogéneas. Abarcan una amplia gama de actividades económicas, tanto en zonas urbanas como rurales, y presentan escalas de producción muy diferentes. Entre los factores que inciden en esta situación, se encuentra[n] las limitadas capacidades gerenciales de esas empresas, además la falta de acceso a las tecnologías y los mercados.

«En los países más grandes, donde la actividad productiva industrial es más sofisticada, existen pequeñas y medianas empresas que se han podido incorporar mejor dentro del tramado industrial, [es]tamos hablando de Brasil, Argentina, México,

que tienen mayores oportunidades para que el desempeño de estas compañía[s] sea de mejor nivel».

Calderón, apuntó que en los eventos de la CE-LAC en Santiago se adoptaron resoluciones a instancias de las sugerencias realizadas por la CEPAL.

«En la Cumbre Empresarial se tomaron algunas resoluciones muy significativas respecto a este punto, y en la Cumbre de Presidentes también se incorporaron aspectos que nosotros planteamos, por ejemplo, aquí tengo frente a mí la resolución de los Jefes de Estado y en su punto 41 dice que se estimule la innovación, el emprendimiento y una mayor articulación de las PyMES con las grandes empresas, favoreciendo la... la creación de empleo de mejor calidad, la formación de capital humano entre otros elementos».

Álvaro Calderón sostuvo que es fundamental que los países sensibilicen a las empresas sobre los beneficios de la internacionalización y la formación de alianzas con empresas tra[n]snacionales.

Jorge Millares, Naciones Unidas, Nueva York.

Answers: 1. A; 2. B; 3. C; 4. A; 5. B

ACTIVIDAD 9 El fallecimiento del Cid Campeador

La nómina de héroes de este país sufrió una baja importante en un día como hoy, 10 de julio del año 1099. Cuando a Rodrigo Díaz de Vivar, el Cid Campeador, se le apagaron sus bríos guerreros. Eso de llamarlo Cid no es un invento español. Los almorávides le apodaron Sayid, señor, término árabe del que luego derivó fonéticamente al castellano como Cid.

La leyenda, digna de creer por el romanticismo que lleva implícita, narra que su cuerpo fue embalsamado y que cabalgó por última vez a lomos de Babieca para comandar sus tropas y ganar su última batalla. Bonito, pero mentira.

Fantasías al margen, la primera tumba de Rodrigo estuvo en la Catedral de Valencia. La insostenible defensa de la ciudad ante el sitio de los almorávides hizo que su viuda, Doña Jimena Díaz de las Asturias, tomara una determinación que, a la larga, resultó poco acertada. Trasladó los restos al Monasterio de San Pedro de Cardeña, en Burgos, un lugar que había dado cobijo al matrimonio y sus hijos en varios de sus destierros y donde también acabó enterrada ella. Doña Jimena salvó los huesos del Cid de las probables iras musulmanas, pero no contó con el vandalismo napoleónico que llegaría 700 años después.

La verdad es que los franceses llegaron tan cabreados a Burgos, después de la humillante derrota en la batalla de Bailén, que la fueron emprendiendo con todo lo que encontraron a su paso. Y en su paso estaban los sepulcros del épico Cid y su Jimena. Los huesos acabaron por los suelos y aquí comenzó el absurdo periplo de Rodrigo y su señora. Primero a Burgos, luego otra vez al Monasterio de San Pedro de Cardeña, parte de los restos luego a París, de París a Alemania, luego otra vez a Burgos, y en mitad de este ajetreo no se sabe cómo ni cuándo un trozo del cráneo del Cid y un pedazo del fémur de Doña Jimena han acabado en la vitrina de un castillo de República Checa. Y encima, los tienen declarados patrimonio cultural checo.

Polvo, sudor y hierro, el Cid cabalga. Pero, caramba, nunca cabalgó por Chequia como para que se apropien de un trozo de su cráneo.

Answers: 1. A; 2. C; 3. D; 4. A; 5. C

ACTIVIDAD 10 ¿Podemos ser todos creativos?

Diseño sensato
Recibo muchos correos y mensajes privados en los que se asocia mi profesión, el diseño, con la creatividad. Es lógico y perfectamente correcto. Efectivamente, mi profesión tiene que ver con la creatividad. Lo que no deja de sorprenderme es esa au... aura misteriosa que nos rodea a los creativos. Lo oigo continuamente, incluso a modo de justificación: «Es que vosotros los creativos... claro para ti es fácil, como eres creativo». Bueno, y resulta que sí, soy creativo pero porque lo he aprendido.

En un reciente programa de Redes, en la 2, nuestro colega Puncet hablaba sobre todo esto con Ken Robinson, una referencia indiscutible si se habla de creatividad y educación. Pues bien, lo que Ken Robinson defiende, y yo suscribo plenamente, es que se aprende a ser creativo igual que se aprende a leer, es simplemente una cuestión de potenciarlo, de buscarlo. Esto quiere decir, atención, que todos podemos ser creativos. Ya sé, usted, usted pensará: «Yo no, te aseguro que soy incapaz de ser creativo». Y yo le digo lo que dice Sir Ken Robinson, que traza esta inteligente analogía con el hecho tan común de aprender a leer, dice: «Nadie te puede decir yo no sé leer y nunca aprenderé, no soy así. Todos aprendemos a leer y todos podemos aprender a ser creativos», cierro comillas.

Otra cosa es que puedes convertirte en un lector compulsivo, puede no llamarte especialmente la atención, pero todos somos capaces de leer y lo mismo pasa con la creatividad. Todos podemos aprender a ser creativos, pero creatividad tampoco implica necesariamente hacer cosas divertidas. Robinson define la creatividad como el proceso de tener ideas originales que tengan valor, es decir, imaginación aplicada. Se puede ser un panadero creativo porque mezcla distintas harinas, se puede ser un científico creativo y, al mismo tiempo, tremendamente serio y formal. La creatividad es abordar tu trabajo bajo un prisma diferente, pensar *out of the box*, que dicen los ingleses, salirnos de nuestros propios esquemas mentales, buscar referencias fuera de nuestro entorno inmediato.

En el caso de Robinson, ser creativo es continuamente analizar el entorno que nos rodea. Revisar los paradigmas que rigen, por ejemplo, la educación y aplicar una lógica aplastante por su gran sensatez.

Oye el corazón, para Radio 5, *Todo Noticias*. Dudas, sugerencias o comentarios en www.oyeelcorazon.com.

ANSWERS: 1. C; **2.** A; **3.** C; **4.** D ; **5.** B; **6.** A

ACTIVIDAD 11 ¿Quién es Maira?

¡Maira! ¿Maira quién es? Maira es mi bicicleta, o sea, yo tengo una tradición de ponerles nombres a mis bicicletas, nombres de mujer, pero no significa que se los haya puesto por alguna novia o alguna amiga porque justamente la idea es que el nombre sea original y propio de la bici. Entonces, tiene que ser un nombre que a mí me guste y yo no tengo que conocer a nadie con ese nombre previamente, entonces Maira nació de esa manera. Que yo después conozca a otras Mairas, no hay problema porque primero fue la bici. Si [u]no le pone el nombre por una novia, después se pelea con la novia, la pobre bici carga con esa culpa el resto de sus días, y uno se va a sentir incómodo pedaleando y va a decir: «Pero si mirá esa mujer al final me... me hizo esto, tal cosa». En cambio, siendo la original, queda.

Maira es una bicicleta este... que viene de Suiza, tiene ya casi 10 años. Es una bicicleta viejita, digamos. Este... y, contrariamente a lo que todo el mundo cree, es lo más simple, robusto y pesado que se pueden imaginar, o sea, no es ni de aluminio, no tiene suspensión, no tiene frenos a disco, no tiene ninguno de los chiches tecnológicos que hoy uno encuentra en las bicicletas que frecuentemente se usan para hacer ehh... travesías de montaña. ¿Por qué? Porque la bicicleta de viaje es como un camión, tiene que ser robusto*,

---

*robusta

tiene que ser pesada, tiene que ser resistente porque uno le echa muchas cosas encima.

Yo soy un, yo me considero un ciclista peso pesado, no solo porque yo soy medio grandote y pesado, sino porque cargo muchas cosas. Considerando que es mi vida y mi casa por tres años, entonces, a mí me gusta llevar ciertos lujos, o ciertas cositas que por ahí otro ciclista no llevaría, como por ejemplo el martillo para las estacas, que ya es una cuestión tradicional, ¿viste?, no podría dejarlo, el equipo de mate, o sea, porque soy argentino y donde puedo conseguir yerba, a mí me gusta tomar mate. En fin, diversas cositas que hacen que el peso suba, suba, suba, o sea, son muchas cositas de poco peso que sumadas hacen que la bicicleta cuando yo voy cargado con agua y comida a *full*, esté alrededor de los 80 kilos, o sea, 80 kilos no es poco, es mucho. Imagínense trepar las montañas con semejante peso, cuando te toque un camino de tierra, cuando el agarre no es bueno, este... digamos, las subidas son muy sufridas y lentas pero las bajadas son muy rápidas y... y gozosas... ¡jeje! Este... pero digamos, Maira es una bici que cuando uno la ve dice: «¿Y qué tiene de especial?». Lo que tiene de especial, justamente es eso, es simple, es fácil de reparar. Yo puedo conseguir repuestos y hacer los arreglos que necesite en cualquier lado, sin necesidad de necesitar una tecnología especial, este... y es mi compañera, o sea, a Maira no la puedo cambiar por nadie, o sea, le he tenido que cambiar componentes mecánicos que se desgastan pero muchas veces me dicen: «¿Y cuántas bicis tenés?». Y no, no puedo llevar más de una, o sea, no es como un caballo que uno lo lleva atado con una soga y lo sigue a uno. Este... y eso de enviarla a otro lugar para cambiarla es un, es complicadísimo, no, no, no: dos piernas, una cola, una bicicleta.

ANSWERS: 1. C; **2.** A; **3.** B; **4.** D; **5.** B

ACTIVIDAD 12 Los jóvenes son la mejor inversión de futuro

Los jóvenes deben alzar su voz y ser un potente motor de cambio de la sociedad. La actual generación de jóvenes es la más numerosa de toda la historia de la humanidad. Más de 1.700 millones de personas de entre 10 y 24 años de edad habitan en el mundo.

El Consejo Económico y Social, ECOSOC, auspició en la sede de la ONU en Nueva York un evento especial sobre la necesidad de que los jóvenes participen más activamente en los campos de la ciencia, la tecnología, la innovación y la cultura.

El presidente de ECOSOC, Néstor Osorio, recordó que algunos de los científicos más relevantes de la historia eran jóvenes cuando hicieron descubrimientos que cambiaron el curso de la humanidad.

«Tomás Alva Edison tenía 32 años cuando planteó la primera bombilla eléctrica comercialmente viable del mundo. Isaac Newton era aún más joven cuando inventó el cálculo, el lenguaje de la física, y tenía 24 años cuando publicó su primer artículo sobre el tema. Dos de los empresarios más famosos del mundo, Bill Gates y Mark Zuckerberg, tenían 20 años cuando establecieron Microsoft y Facebook, respectivamente».

Néstor Osorio indicó que fomentar una mejor formación en el campo de la ciencia y la tecnología es una de las vías para luchar contra el desempleo y la precariedad que afrontan los jóvenes de todo el mundo.

«La Organización Internacional del Trabajo indica que los jóvenes tienen 3 veces más probabilidades de estar desempleados que los adultos, y más de 75 millones de jóvenes del mundo están buscando trabajo hoy día. En Europa y en Oriente Medio más de la mitad de los jóvenes entre 15 y 24 años están desempleados».

Por su parte, el señor Secretario General de la ONU, Ban Ki-Moon, subrayó la necesidad de que las mujeres y las niñas también reciban una mejor educación científica. En ese sentido, lamentó que aún persista la creencia de que las mujeres deberían apostar por otras profesiones.

«Si educamos a una mujer, a una madre, no estamos educando a una sola mujer, ya que ella educará a sus niños, a su familia y a la sociedad, es decir, que tiene un efecto multiplicador».

Adora Svitak, de 16 años, autora de varios libros y representante juvenil del Programa Mundial de Alimentos explicó que su generación está acostumbrada a acceder a la información que necesita y que ya no acepta instituciones no transparentes.

«Consideren las grandes expectativas de transparencia que tiene mi generación. Como muchos de vosotros, he crecido utilizando una red que tiene respuestas a mis preguntas y me proporciona información solo pulsando una tecla de mi computadora. Tropezar con barreras cuando busco información no es normal para mí. ¿Cómo encaja esto con culturas tradicionales de gobierno, de secretismo, información clasificada, la cultura de la información a puerta cerrada?».

Dialogar con los jóvenes es una prioridad para la ONU, afirmó el Secretario General, Ban Ki-Moon pidió a la comunidad internacional que dé todo su apoyo al nuevo enviado para la juventud, Ahmad Alhendawi.

Emma Reverter, Naciones Unidas, Nueva York.

ANSWERS: 1. C; 2. B; 3. A; 4. B; 5. D; 6. C

ACTIVIDAD 13 El género de la lengua no crea machistas

El buscador de Radio 5

Ha habido tumulto por un texto firmado por el sabio Ignacio Bosque en relación a las guías que desean establecer un vínculo entre machismo y género lingüístico. Se escribe y se ha escrito que el lenguaje es machista. Consiéntanme mi respuesta, el lenguaje no es machista como tampoco lo son los coches, las mesas o las esculturas.

Háganme sitio para un pequeño recordatorio. En latín, la lengua del que proviene el español, había tres géneros. Existía el masculino, el femenino y el neutro. El género neutro se perdió en el desgaste que el latín sufrió durante siglos. La lengua se usó durante siglos sin academias ni profesores. La gente que hablaba un latín que habría espantado a Cicerón lo fue deshaciendo, desvencijando y lo trituró para luego reconstruirlo de nuevo. No había normas académicas, sino el menor esfuerzo posible, la lógica más corta y la comunicación más directa.

Vayan a www.molinolabs.com.

La palabra «sal» que era del género masculino [en] latín es hoy femenina. La palabra «pirámide» que entró en el siglo de oro como una palabra masculina es hoy femenina. La palabra «orden» que era masculina en latín, es hoy femenina en muchas acepciones, y la palabra «linde» que fue masculina en latín es hoy femenina.

Pero también, ocurrió al revés. Hubo palabras que se hicieron del género masculino como «valle» que era femenino y ahora es masculino, o la palabra «origen» que era femenina [en] latín y ahora es masculina.

Quiero que vean que la lengua es una cosa libre que da bandazos y vaivenes por mil razones pero que rara vez puede ser dirigida desde arriba. El español apenas lleva un siglo con escuelas y alfabetismo extendido. Hasta entonces, se malhabló, se confundió y se trastabilló durante siglos.

Asegurar que el género de las palabras tiene valor y peso social es una imprudencia que tiene más de deseo que de verdad científica. Según este razonamiento, las lenguas que no marcan el género de las palabras, como es la lengua inglesa, no tendrían machistas entre sus filas, lo cual es un tremendo sinsentido. Por supuesto, que hay entre quienes hablan inglés, machistas, idiotas,

genios, inmensos creadores y gente que se morirá sin apenas haber usado más de 2.000 palabras en su vida. De igual modo, que los hay en español, las lenguas no son machistas, no pueden serlo, están a nuestras órdenes. La gente es machista.

Recuerde la página www.molinolabs.com. elbuscadorradio5 (con número) @rtve.es. Para Radio 5, *Todo Noticias*, Juan Pablo Arenas.

ANSWERS: 1. A; 2. C; 3. D; 4. A; 5. B

ACTIVIDAD 14 Sesenta y cinco años del referéndum de Franco sobre la Ley de Sucesión

Una de las cosas que más le gustaban a Franco era que le dieran la razón. Los contestones no le caían bien, por eso, cuando se le antojaba convocar un referéndum, previamente dejaba claro el resultado que él quería... para ponerlo fácil. Y en un día como hoy, 6 de julio de 1947, Franco organizó una consulta para saber si los españoles apoyaban su famosa Ley de Sucesión para constituir España en un reino católico.

Los españoles acudieron a votar en masa y dieron un Sí como un castillo a su propuesta. «Así me gusta», dijo Franco, «pero yo decidiré cuándo, cómo y quién». Y mientras se lo pensaba, se empadronó en la jefatura del Estado durante 22 años más.

(music) La Ley de Sucesión de 1947 era como un chiste de Chiquito de la Calzada porque se declaraba que España era un reino pero sin rey. Imposible que lo hubiera porque, a la vez, Franco se declaró Jefe del Estado y actuó como regente. Además, como se guardó en la manga la decisión para nombrar al futuro rey de España, en los siguientes años tuvo a varios aspirantes bailándole el agua con tal de ser los elegidos.

Pero el caso es que el apoyo a la ley fue abrumador porque nadie convocaba referéndums con tanto arte como Franco. Hubo tortas por ir a votar y nunca más una consulta popular en España ha vuelto a tener tal éxito de participación.

El 90% de los electores acudió a las urnas, el 10% restante estaba de baja por depresión, y de los 15 millones de españoles que fueron a votar, 14 millones dijeron sí a la Ley de Sucesión. Nunca han estado los electores tan de acuerdo en algo porque tampoco nunca han recibido tantas amenazas si no depositaban un voto afirmativo. El que no fuera a votar se quedaba sin un sellito que permitía que la cartilla de racionamiento continuara vigente e, igualmente, a los abstencionistas se les negaría a partir de ese momento el certificado de buena conducta, y lo más gracioso, quien votara no a la propuesta de convertir a España en reino católico se tenía que dar por excomulgado. Pese a todo, 2 millones de españoles se abstuvieron y 700.000 votaron que *no*, con un par.

ANSWERS: 1. B; **2.** B; **3.** D; **4.** A; **5.** C

ACTIVIDAD 15 Conectar a los desplazados

Una tarde, José tuvo que dejar su tierra natal, su casa y su ganado. Mudarse a Bogotá no fue una decisión que tomó libremente, sino que partió de una necesidad.

«Yo vivía en Antioquia, trabajaba en la finca de mi familia, ayudaba con las labores del campo, ehh... todo iba muy bien. Las cosas se pusieron malucas, pues, que mucha presencia de grupos armados, ehh... cobraban vacunas a la familia, cosa que era imposible pagar».

Colombia ocupa el primer lugar a nivel mundial en número de desplazados. En los últimos años, más de 5 millones de personas han tenido que dejar su hogar a causa del conflicto armado.

José tuvo la suerte de encontrar empleo como portero en Bogotá, pero son muchos los desplazados que dependen de subsidios gubernamentales para subsistir. Para ser elegibles, sin embargo, es necesario que estén inscritos en el Registro Único de Población, un requisito que en la práctica no es tan sencillo.

«El problema con el acceso a beneficios es que a los desplazados les queda muy difícil enterarse de si están en el registro, y la razón es que para ello tienen que ir a una oficina del gobierno, ehh... y para muchos de ellos es muy costoso por su costo de oportunidad y por los costos del transporte».

Aquí la pregunta es: ¿cómo estar al alcance de una población difícil de ubicar y en ocasiones sin hogar fijo? Doce de cada 100 colombianos se encuentran en esta situación. Sin embargo, Acción Social encontró la solución al alcance de la mano de todos, el teléfono celular.

«El proyecto que está apoyando el BID consiste en enviar mensajes de texto a los celulares de los desplazados. Casi todos los desplazados tienen celular. Esto no es un problema. Y, a través de esto, les decimos que ellos están registrados y que, además, están recibiendo un beneficio, y les explicamos en qué consiste el beneficio».

Así, José y millones como él, resultan beneficiados no solo por el gobierno, sino también por la tecnología, mejorando su oportunidad de desarrollo económico y de vida.

«Los resultados parciales son muy alentadores, y en las entrevistas los desplazados nos han dicho que el mensaje ha sido oportuno, que les ha ayudado a enterarse de sus derechos y también han reclamado más beneficios, así que creo que es un proyecto exitoso y esperamos que se convierta en una política pública a nivel nacional por parte del gobierno colombiano».

Según un estudio reciente de BID titulado *Conexiones del desarrollo*, los gobiernos de América Latina no deben desaprovechar la oportunidad de invertir en mejorar la infraestructura, regulaciones y el capital humano para sacar provecho a un mayor acceso a las tecnologías de la información. Como en el caso colombiano, el estudio recomienda que los gobiernos evalúen el impacto de estas tecnologías en sus proyectos a fin de reducir los costos de inversión y llevar a mayor escala tales emprendimientos.

«La tecnología es un paso importante en el desarrollo. Es un medio, no es un fin, mucha gente confunde esto. Pero, dicho esto, es una herramienta que puede ser extremadamente importante para ayudar principalmente a los pobres».

A pesar de que fue desplazado de su hogar, José sigue conectado y gracias a su celular ahora recibe la ayuda que tanto necesita. Es así como día a día, desde distintos rincones de la región, se trabaja para conectar a los desconectados.

ANSWERS: 1. B; 2. D; 3. A; 4. B; 5. C; 6. B

ACTIVIDAD 16 Ideas para cambiar el mundo

Hace casi 10 años, el emprendedor Ernesto Argüello tuvo una idea: construir viviendas para sectores de bajos recursos, combinando infraestructura con educación y seguridad.

«Son comunidades modelo, ok, que utilizan la educación como base para la creación sostenible de comunidades».

Otros jóvenes emprendedores y creativos como Argüello buscan aportar al desarrollo de América Latina a través de la innovación, en un continente con un promedio de edad de 27 años. Experiencias como la de Rona Díaz, fundadora de una empresa que desarrolla soluciones sustentables para viviendas.

«Utilizando el sol, utilizando el agua. Y digo sol y agua porque esos son los recursos aquí en Panamá pero también los residuos, la basura, ehh... tener huertos en las casas».

O como la de Carolina Aráoz, a cargo de Jazz House. Jazz House lleva la música a zonas socialmente vulnerables en Perú, y junto con el BID realiza un proyecto de transformación social a través de la música popular.

«A mí la música me democratizó el cerebro. Veo a todo el mundo por igual. Es tan abstracto que... que me cambió mi manera de ver el mundo».

La innovación, el emprendeurismo, enfrentan varias amenazas en Latinoamérica, pero para algunos, la mayor de esas amenazas no es externa.

«Muchas veces el obstáculo más grande es en la mística ojalatera. Ojalá yo tuviera no sé qué, ojalá yo hubiera, ojalá yo pudiera».

Para Estanislao Bacnak, experto en neurociencia, creatividad e innovación en los negocios de la Universidad de Argentina Torcuato Di Tella, la innovación, los resultados de la intención, el aprendizaje, y también la acción.

«Y hay estudios que dicen que si en 48 horas tuviste una idea y no hiciste nada por eso, nunca más lo vas a hacer. Pero, si ustedes se van de estos, estos talleres, de estos seminarios y pasan 2 días y no hicieron nada de lo que aprendieron, seguramente no lo hagan nunca más».

Algo de lo que cientos de jóvenes reunidos en la Asamblea de Gobernadores del BID en Panamá tomaron nota.

ANSWERS: 1. A; 2. D; 3. A; 4. C; 5. B

ACTIVIDAD 17 Seguridad vial: salvar vidas y ahorrar dinero

Los accidentes de tráfico son la principal causa de muertes prematuras y lesiones en el mundo. Todos los años, los accidentes en carreteras dejan más de 20 millones de heridos y 1.300.000 millones de muertos.

Un estudio publicado este mes en el boletín de la Organización Mundial de la Salud, la OMS, afirma que los países que adoptan medidas para mejorar la seguridad vial salvan miles de vidas y mejoran su economía. El informe evalúa el impacto económico de las medidas implementadas en Cataluña, España, entre 2000 y 2010. La autora del informe, Ana García-Altés indicó que el ahorro por la disminución de hospitalizaciones, muertes y bajas laborales fue de 23 mil millones de dólares.

«Un primer impacto es el sanitario, si hay menos lesionados, esas personas obviamente no han ido al hospital, por lo cual menos urgencias, menos ingresos hospitalarios, menos rehabilitación, menos dependencia, menos cuidados de larga duración, etcétera. Pero aparte está, el impacto más social, el impacto que tiene, que se puede estimar en términos económicos, que se haya muerto menos gente, ¿no?, el... el coste digamos económico de las vidas humanas, ¿eh? que ese sería el más cuantioso».

La economista explicó algunas de las medidas de seguridad vial que han demostrado ser efectivas.

«Incrementar todavía más el uso estricto del cinturón de seguridad, que se use en todos los... las personas que van en un vehículo, cámaras de control de la velocidad en vías de acceso y carreteras de autopista, el tema del carnet por puntos, controles de alcoholemia, controles de control de drogas, etcétera, etcétera. Es todo un conjunto de políticas que se ponen en marcha».

El 90% de las muertes en carretera se concentra en países de renta media y baja, indica la OMS. Ana García-Altés recordó que las políticas implementadas en Cataluña pueden ser impulsadas por otras administraciones.

«En general, son políticas que se... se pueden usar en cualquier otro país, donde los accidentes de tráfico sean importantes. Y... lo... lo bonito de... de... de esto es darse cuenta del impacto tanto epidemiológico que esto tiene, ¿no?, en términos de vidas humanas y personas lesionadas, como del impacto económico que eso pueda tener».

El informe concluye que las leyes que imponen sanciones o prohibiciones a los conducto-res no coartan las libertades individuales, sino que previenen muertes y lesiones y protegen la productividad laboral, el sistema de salud y la economía de los países.

Emma Reverter, Naciones Unidas, Nueva York.

ANSWERS: 1. D; **2.** D; **3.** A; **4.** B; **5.** C

ACTIVIDAD 18 Desconectados

De las expectativas de los jóvenes en América Latina, «Poder recibirme, ser chef». A los problemas reales del mercado laboral, solo 12% de los empresarios encuestados en un estudio del BID declaró no tener dificultades para encontrar trabajadores con las destrezas que necesitan. Algo que afecta a varios sectores, incluyendo el industrial.

«Hay una escasez de técnicos preparados al nivel que nosotros necesitamos para competir en el mundo».

En América Latina, muchos jóvenes salen directamente de la educación media al mercado laboral, y un reciente estudio del BID confirmó algo que ya se sospechaba.

«Existe una brecha muy importante entre habilidades, este... producidas por el sistema educativo y demandadas por el sistema, los sistemas, el sistema productivo».

Habilidades como la perseverancia, la motivación y la capacidad de comunicarse, incluso la habilidad de entender qué significa tener un empleo.

«Muchos jóvenes en nuestra región no tienen la capacidad de entender mucho qué significa un empleo porque sus propios padres, ehh... no están empleados».

Para varios investigadores, eso tiene mucho que ver con la desconexión entre las escuelas y su entorno.

«Si mirás alguno de los sistemas con mejor desempeño, tienen gente de las empresas que vienen a los centros educativos para enseñarle[s] a los estudiantes las destrezas que se precisan en el mundo real».

«O crecemos todos juntos, la comunidad y nosotros, o no crece ninguno de los dos».

La productora argentina de acero Techint invierte millones de dólares en capacitar técnicos alrededor del mundo. El chef peruano, Gastón Acurio, montó escuelas gastronómicas en zonas de bajos ingresos de Lima.

«Para que los chicos que no tengan recursos, ehh... puedan acceder a una buena formación y entrar a un mercado cada vez más competitivo y más exigente».

Y además de los privados, los expertos recalcaron la importancia del sector público para replantear los objetivos de la enseñanza.

«Los países de la región le[s] dan a los maestros mensajes encontrados. Por un lado, les dicen que lo que importa son el pensamiento creativo y las destrezas sociales, pero por el otro, lo que finalmente evalúan en términos curriculares son los contenidos tradicionales».

Buscar asociaciones público-privadas y mejorar la formación de los educadores son algunas de las propuestas que se presentaron en Montevideo. Distintos acercamientos para resolver un problema de peso en la región y para hacer realidad los sueños de jóvenes que, como Rosario, buscan dar sus primeros pasos en un mundo de adultos.

ANSWERS: 1. C; 2. A; 3. A; 4. D; 5. C; 6. B; 7. D

ACTIVIDAD 19 Células madre de cadáver

El buscador de Radio 5
Un grupo de científicos franceses del Instituto Pasteur en Francia ha logrado reanimar células madre procedentes de músculos y médula ósea. Esto podría no parecer gran cosa, pero el mérito reside en que las células madre se extrajeron de cadáveres, en concreto, de cadáveres que llevaban muertos hasta 17 días.

Los científicos franceses han demostrado que pueden hacer que células madre musculares procedentes de cadáveres revivan, trasplantarlas y lograr que otras nuevas nazcan en perfecto estado. El instituto Pasteur descubrió que las células madre no morían a la vez que moría el cuerpo donde habitaban sino que entraban en algo así como un proceso de hibernación. De este modo, las células madre lograban sobrevivir en medio de un ambiente tan hostil para la vida como es un cadáver, ya que es un medio ácido que carece de oxígeno. Es como si las células madre se durmiesen y esperasen a que escampase.

Vayan a www.madrecelulas.blogspot.com.

Estas células madre podrían usarse para hacer trasplantes de médula ósea utilizados en el tratamiento de la leucemia, que siempre está ávida de donantes.

Lo más novedoso e interesante de este descubrimiento es que podrían existir nuevas fuentes de extracción de células madre. Las células madre se pueden extraer de varias fuentes, una de ellas son los órganos de un adulto como por ejemplo la piel. Lo malo es que estas células madre son de poca calidad y su capacidad de usarse es muy limitada. De mejor calidad son las que se extraen de la médula ósea, pero no hace falta que les diga lo molesto que resulta un pinchazo en medio de la columna vertebral por muy anestesiado que esté uno. Es decir, las virtudes de las células madre son conocidas, el problema es de dónde sacarlas con facilidad.

Y las otras células madre de alta calidad, son las células madre embrionarias. Como su nombre indica se extraen de un embrión, es decir, el proceso de fecundar un óvulo con un espermatozoide, dejar que se convierta en un cigoto, este cigoto se divide y da lugar a un blastocisto, que es de donde se extraen las células madre. El hecho de que este blastocisto sea un ser humano en potencia, aunque no en acto, salpica esta extracción con matices religiosos que no son del agrado de muchos. Por este motivo, siempre es una razón para alegrarse que la ciencia encuentre nuevas fuentes de extracción de células madre.

Recuerde la página www.madrecelulas.blogspot.com.

elbuscadorradio5 (con número) @rtve.es. Para Radio 5, *Todo Noticias*, Juan Pablo Arenas.

ANSWERS: 1. D; **2.** A; **3.** B; **4.** A; **5.** C; **6.** D; **7.** B

ACTIVIDAD 20 Día de los Muertos

Es tiempo de reencontrarnos con la muerte: 2 de noviembre, Día de los Fieles Difuntos.

Para los chiapanecos sancristobalenses, el primero de noviembre es el Día de Todos los Santos, en especial de los angelitos, aquellos niños que fallecieron en su infancia. Mientras que el día 2, es el día de celebrar a las personas mayores que se nos adelantaron a la vida eterna, por lo que se acostumbra ir al panteón desde muy temprano a acompañar en su día a nuestros difuntos. Se pintan, se limpian y se adornan las capillas con flores para la ocasión. Además de colocar una veladora en cada capilla, que será la luz que ilumine el camino del alma de nuestro familiar.

En las casas más antiguas de la ciudad, algunas personas acostumbran a realizar los tradicionales altares de muertos dedicados a sus familiares, el cual está conformado por la comida que má[s] le agradaba al difunto, complementado* con algunas verduras y frutas que degustaba en su vida, adornados con papel picado y cadenas de papel morado y amarillo, que significa la unión entre la vida y la muerte. Además de colocar maíz de los cuatro colores, que representan al hombre, también se adornan con flores que son la bienvenida

para el alma: la flor blanca representa el cielo, la amarilla, la tierra y la morada, el luto.

Estos altares constan de 7 escalones, que representan los 7 niveles que tiene que pasar el alma de un muerto para poder descansar. El séptimo nivel debe de estar casi a la altura del suelo y, sobre él, se pone el segundo nivel que es un poco más chico que el primero. Así, sucesivamente, hasta llegar al último nivel.

Cada escalón tiene un significado y debe de contener ciertos objetos en específico. En el primer escalón, se pone la foto del santo o la virgen de la devoción, mientras que el segundo es considerado para las ánimas del purgatorio. En el tercer escalón, se coloca un pequeño cirio que representa el alma sola, y un vaso de agua por si el alma tiene sed. En el cuarto escalón, se pone[n] veladoras y velas que representan la luz para el alma y el incienso que significa el paso de la vida a la muerte. Mientras que en el quinto, se coloca la comida y la fruta que fueron los preferidos** por el difunto. En el sexto nivel, se pone la foto del difunto a quien se dedica el altar y ya, por último, en el séptimo nivel se coloca la cruz o el rosario que bendicirá*** el camino del difunto.

Esto fue una producción de la red de comunicadores *Boca de Polen*, México.

ANSWERS: 1. C; **2.** C; **3.** B; **4.** D; **5.** A; **6.** A

ACTIVIDAD 21 *Aurora Carrillo: transformando a Colombia a través de la educación*

En Colombia casi 300.000 mil personas han podido liberarse del analfabetismo en las aulas de *Transformemos educando*. Este sistema para jóvenes y adultos lleva 28 años trabajando en las regiones más apartadas, excluidas y vulnerables del país para incorporar a sus habitantes al sistema educativo.

---

*los cuales están conformados por la comida que más le agradaba al difunto, complementados

**las preferidas
***bendecirá

*Transformemos educ*ando es una organización que trabaja con las comunidades más pobres: los indígenas, los desplazados por el conflicto armado, las mujeres y demás poblaciones que por distintas razones han cortado el vínculo con la escuela.

Este sistema es obra de una persona, la psicopedagoga Aurora Carrillo Gullo, que fue galardonada por la UNESCO con el premio Confucio 2012, máxima distinción a nivel mundial en materia de educación para jóvenes y adultos. Aurora Carrillo estuvo en París para la entrega de este premio que ella consideró como una medalla olímpica, que corona el esfuerzo de muchas personas comprometidas con la educación como arma para la erradicación de la pobreza y la consecución de la paz.

—Sí, mira, un reconocimiento mundial para un proceso de educación de jóvenes y adultos que, en América Latina y el Caribe, estamos en deuda. Sobre todo con los jóvenes... porque el desempleo, la pobreza y la violencia son consecuencia de los iletrados, de la educación de baja calidad. Enton[ce]s, para nosotros, esta es una medalla que nos impulsa a seguir trabajando, no solo en Colombia, sino en toda América Latina y el Caribe.

—Aurora, ¿qué es *Transformemos*, cuéntenos, y cómo surgió?

—*Transformemos* es un sistema educativo para jóvenes y adultos. Tiene una característica principal y es que está incluyendo las tecnologías de la información y las comunicaciones, y está llevando educación de calidad a las personas iletradas con continuidad. Es decir, las personas aprenden a leer y a escribir y pueden llegar a terminar su bachillerato y hacer enlace con la educación técnica y superior porque consideramos, con la CEPAL y con UNESCO que 12 años mínimo de educación son la posibilidad para salir de la pobreza y aportar a la construcción de la paz en los países de Améri-

ca Latina y del mundo. Nosotros acogemos las directrices de la CONFINTEA V y VI, las dos CONFINTEAS plantean una versión renovada de la alfabetización, que dice que no basta con saber leer y escribir en el tercer milenio. Es hora de que nosotros empecemos a actuar para que las comunidades vulnerables se formen, no solamente en educación básica, sino que puedan seguir estudiando a lo largo de toda la vida. Es más, es aprendizaje para toda la vida, para todos. Es el slogan.

—Usted es la fundadora, promotora y diseñadora de este sistema. ¿Cómo lo... se lo planteó usted desde un principio?

—Mira, cuando empecé a trabajar con educación de adultos, yo empecé a trabajar con comunidades vulnerables, y siempre veíamos que era la educación lo que faltaba allí. Sí, yo soy educadora... y, cuando empecé a diseñar un currículo para adultos, me... primero me basé en la investigación, conocer a la gente, comprender sus intereses, sus motivaciones y darle una educación de sentido. Como no existía una oferta clara de ese tipo de modelos educativos, nos tocó crear uno, ¿sí? Yo he creado en Colombia varios modelos, *A crecer*, *Transformemos*, *Transformemos educando*, y ahora el sistema interactivo *Transformemos educando*, que incluye la tecnología. Y creo que es eso lo que necesitamos los latinoamericanos, no... no hablar, necesitamos actuar y actuar con creatividad para poder salir adelante.

ANSWERS: 1. A; 2. C; 3. D; 4. A; 5. D; 6. B; 7. C; 8. B

ACTIVIDAD 22 El robo de bebés fue la práctica más perversa de la dictadura argentina

—Corresponsal en América Latina, Fran Díaz, ¡buenos días!

—Hola, ¡buenos días! Ha sido una sentencia dura, importante y simbólica. La justicia argentina ha condenado al dictador Jorge Rafael Videla a 50 años de cárcel por el robo de bebés durante la dictadura. Junto a él, han sido sentenciados también otros antiguos altos mandos del régimen militar, incluido Reynaldo Bignone que, en su día, ocupó también la presidencia con posterioridad a Videla.

El robo de bebés fue una práctica sistemática, y así lo reconoce el tribunal durante el régimen de terror que Videla y los uniformados instalaron en Argentina entre 1976 y 1983. La mayoría de los casos corresponde a mujeres que estaban embarazadas cuando fueron detenidas y las mantuvieron vivas hasta dar a luz, asesinándolas y desapareciéndolas posteriormente, y entregando las criaturas en adopción a militares, policías o familias adeptas al régimen.

No es esta la primera condena que recae sobre Videla y otros importantes dirigentes de la dictadura pero ha sido celebrada de una manera muy especial por los defensores de los Derechos Humanos y por las familias de los desaparecidos.

—Lo han celebrado y con razón, eh. Primero porque se ha hecho justicia y, segundo, porque esa justicia que llevan, muchos años, reclamando las personas afectadas y sus familiares... ehh... esa justicia abre la puerta a seguir investigando y a poder resolver 400 casos de bebés robados que aún esperan respuesta, Fran.

—Desde luego, la sentencia tiene una gran importancia jurídica y también una enorme carga simbólica y emotiva. Es la primera vez que miembros de la dictadura argentina son condenados, no por un caso concreto de apropiación de un bebé, sino por el plan en sí, por poner en marcha una de las prácticas más crueles y aberrantes como asesinar a opositores y entregar a sus hijos en adopción a los propios asesinos o a sus cómplices. Así lo explicaba uno de los, entonces niños robados, Federico Madariaga.

«Fue lo peor de, de, de... lo más perverso de la dictadura digo yo, ¿no?, lo que hicieron con nosotros, porque es una tortura extendida en el tiempo, ¿no?, por las abuelas, por la búsqueda, por los familiares. Hicieron mucho daño estos tipos».

La sentencia ha causado una enorme alegría, especialmente, entre Abuelas de Plaza de Mayo, la organización que hace 30 años empezó a buscar a sus nietos desaparecidos de los vientres de sus hijas.

Las Abuelas estiman que en total se dieron 500 casos de bebés robados, de los que han logrado recuperar a 105. Entre estos, podríamos citar el de la nieta del poeta y premio Cervantes, Juan Gelman. Los militares secuestraron a su hijo y su nuera embarazada en Buenos Aires, asesinaron al hijo y trasladaron clandestinamente a la nuera a Uruguay, asesinada cuando dio a luz. Juan Gelman recuperó, en el año 2000, cuando ya tenía 23 años, a su nieta Macarena.

«Con, con la emoción de ver, bueno, que finalmente se identifican responsables y se establecen esas responsabilidades, y bueno, van a pagar por los delitos que cometieron».

Como Macarena, son muchos los que consideran que, por fin, se ha hecho algo de justicia.

ANSWERS: 1. A; **2.** B; **3.** D; **4.** A; **5.** A; **6.** C; **7.** B

SECTION II
TEACHING NOTES

Persuasive Essay

Audio scripts

Audio Instructions: To simulate the exam, either use the Audio DVD (Exam Simulation Full Activity) or go to the Downloadable Audio folder in the AP Spanish® eText or Digital Courseware. The on-page audio links in the eText will play only the authentic audio sources.

Script of the exam instructions for Part D:
Tienes 1 minuto para leer las instrucciones de esta actividad.

(1 minute)

Ahora vas a empezar esta actividad. Tienes 6 minutos para leer el tema del ensayo, la fuente número 1 y la fuente número 2.

(6 minutes)

Deja de leer. Ahora pasa a la fuente número 3. Tienes treinta segundos para leer la introducción.

(30 seconds)

Ahora escucha la fuente número 3.

(Authentic recording plays.)

Ahora escucha de nuevo.

(Authentic recording plays again.)

Ahora tienes 40 minutos para preparar y escribir un ensayo persuasivo

(Allow students 40 minutes to complete their essay.)

ACTIVIDAD 1   La corriente del Golfo y la nueva glaciación

Invierno de 2060 junto a las costas de Bretaña. Una gruesa capa de hielo hace imposible la navegación.

A lo largo de toda la costa, muchos puertos permanecen cerrados esperando a que los rompehielos hagan su trabajo, y por tercera vez este año, la mayoría de los aeropuertos europeos han cancelado todos los vuelos y miles de aviones se han tenido que quedar en tierra.

Desde Noruega hasta España, de Irlanda hasta los Urales, toda Europa está siendo sacudida por esta ola de frío sin precedentes.

¿Realidad o ficción?

«La corriente del Golfo se debilita a causa del calentamiento global y ello podría provocar una nueva glaciación en el planeta. Son las predicciones de un nuevo y sorprendente estudio científico».

Convencidos de que el súbito cambio climático es inminente, los autores imaginan lo inconcebible, la interrupción de la circulación termohalina se producirá en torno a 2010.

En Europa se alcanzarán temperaturas similares a las de Siberia, lo que supondrá la escasez de recursos hídricos y la aparición de tormentas de nieve y fuertes vientos cada vez más frecuentes.

«La mayoría piensa que la probabilidad de que esto ocurra en la próxima década es mínima, en torno al 2%. Pero lo que realmente puede pasar es que ese riesgo sea del 50% en los próximos 100 años».

La interrupción de la circulación oceánica se produciría en la segunda mitad de nuestro siglo, provocando el enfriamiento del norte de Europa. El calentamiento generalizado del planeta compensaría inicialmente la pérdida de estos pocos grados, pero solo sería una ligera prórroga, porque a medida que se acercara el año 2300, el agotamiento de las energías fósiles, como el petróleo y el gas, supondría la reducción del calentamiento global y haría que el Atlántico Norte se enfriara definitivamente.

«El tiempo se acaba y tal vez solo tengamos 10 años más para invertir la tendencia y comenzar esta transición fundamental en el sistema energético y avanzar hacia una mayor eficiencia en el uso de las energías renovables, pero si perdemos otros 10 años y no hacemos nada, el futuro me preocupa realmente».

ACTIVIDAD 2 Siesta, un invento español
Miniaturas
La más relevante contribución española a la victoria aliada en la Segunda Guerra Mundial fue la siesta.

En 1895, cuando Cuba aún era colonia española, el joven Winston Churchill partió rumbo a la isla caribeña para observar la guerra de las tropas españolas contra los rebeldes cubanos. Allí, adoptó 3 hábitos: el ron, los habanos y la siesta. Cuando en 1940 ascendió al cargo de Primer Ministro, todo el peso de la guerra recayó sobre sus hombros.

Era consciente de que debía trabajar muchas horas y la siesta aumentaba notablemente su capacidad de aguante. Se acostaba después de comer, una media hora, y ese rato le permitía trabajar hasta las 2 de la mañana o más tarde cuando la situación lo requería. Gracias a su sueño de mediodía, conseguía hacer en un día, el trabajo de un día y medio.

El domingo 15 de septiembre de 1940 se pasó varios pueblos. Estaba tan cansado que no despertó hasta las 8 de la tarde. Mientras dormía, se había perdido uno de los ataques aéreos más devastadores sobre Londres. Tuvo un feliz despertar, la batalla la habían ganado los aviones británicos.

Gonzalo Ugidos, Radio 5, *Todo Noticias*.

ACTIVIDAD 3 Libro electrónico
A través de un solo clic, el usuario pueda albergar en su mano más de 500 historias. Esta es tan solo una de las ventajas que ofrece el libro electrónico, más conocido como *e-book*, un dispositivo en cuya pantalla se puede[n] leer textos en formato digital y cuyas características adelanta Rosa Lencero, coordinadora del Plan de Fomento de la Lectura en Extremadura.

«Un *e-book* no le ocupa prácticamente espacio, que lo lee de una manera muy cómoda, ehh… también que puede aumentar el tamaño de las letras y esa es la segunda cuestión, el aumentar el tamaño de las letra[s]. Hay personas que tienen cierta discapacidad o cierto problema ehh… ocular para ver la letra normal de un libro y, sin embargo, con un *e-book*, tiene esa… esa maravilla que puede ampliar la letra con un tamaño de acuerdo a su problema visual».

Aunque no se pueda hablar de una implantación total, es cierto que en Extremadura la venta de estos dispositivos electrónicos ha aumentado en gran número durante los últimos meses. Además, la mayor parte de las bibliotecas públicas de la región cuentan en sus fondos con *e-books*, incluso en préstamo para usuarios. Es el caso, por ejemplo, del centro Jesús Valhondo Delgado de Mérida, con 45 dispositivos, o la biblioteca Rodríguez-Moñino/María Brey de Capres, que en las últimas semanas ha puesto a disposición 41 nuevos *e-books*. Escuchamos a María Jesús Santiago, Directora de este último centro.

«Pues la biblioteca lo que pretende es que… que el usuario se vaya familiarizando con este tipo de soporte porque nuestra obligación es po… poner a disposición de… de todos los usuarios… mmm… la información y el… y… que tenga acceso a la lectura… mmm… sin importar el… el… ya te digo, sin importar el soporte en el que se encuentra».

Donde parece que el libro electrónico todavía no ha encontrado su propio espacio ha sido en las aulas extremeñas. Ello a pesar de que la mayoría de los centros educativos de la región cuenta con grandes equipos informáticos. Según Lencero, lo que hace falta en este sentido es formación y preparación de cara al uso de estos soportes.

«En las aulas todavía va más lento el asunto porque… ehh… hay que empezar a… a dotarlas, prepararse y [el] personal que lleva la biblioteca de las aulas se tienen* que preparar debidamente, pues para que los chavales puedan acceder a ello, lo utilicen correctamente, sepan apreciarlo, etcétera, etcétera. Pero es como toda nueva tecnología, como los… como cuando empezaron los ordenadores, se acabará implantando, se sabrá… mmm… conociendo** su uso y se podrá apreciar verdaderamente el valor».

A pesar de las oportunidades que ofrecen los nuevos *e-books*, los hábitos hacen que el libro tradicional mantenga su ventaja en una batalla que por el momento encabezan la tinta y el papel.

«Aún guarda su privilegio el libro clásico y tradicional que compramos en una librería o que sacamos de una biblioteca, y todavía está ahí un poco lejano el… el libro electrónico. Ehh… por lo que he comentado antes, por su… caro… caro precio y… y… porque aún hay muchísima gente que no está mentalizada a que el libro electrónico es una nueva tecnología que si no acabara imponiéndose, por fortuna, sí que se acercará un poco al libro tradicional».

ACTIVIDAD 4 El toro

Para muchos, las corridas de toros son unas fiestas artística[s] o una manifestación de arte y valor. Pero la realidad es que las corridas de toro no son más que el enfermizo deseo de matar a un animal por el placer sádico y anormal de divertirse viéndolo morir.

Las corridas de toro son realmente una ciencia, ¿sí? La ciencia de la tortura. Fiesta brava donde lo único genuino es el dolor de un pobre animal, torturado, aterrado y degradado. Se cree que los toros son valientes, pero no lo son. No tienen carácter fuerte. ¿Quiere saber la verdad? Veinticuatro horas antes de entrar en la arena, el toro ha sido sometido a un encierro a oscuras para que, al soltarlo, la luz y los gritos de los espectadores lo aterren y trate de huir, saltando las barreras. Lo que produce la imagen en el público de que el toro es feroz, pero la condición natural del toro es huir, no atacar.

También, se le recortan los cuernos para proteger al inhumano torero. Le cuelgan sacos de arena en el cuello durante horas para así irlo debilitando. Los golpean en los testículos y en los riñones, les provoca[n] diarrea al poner sulfatos en el agua que bebe. Todo esto con el fin de que llegue débil al ruedo y en completo desorden. Se les unta grasa en los ojos para dificultar su visión, y en las patas se les pone una sustancia que le produce ardor y les impide mantenerse quietos. Así, el torero no desluce su actuación.

Son muchos los que desearíamos gritar no «¡Ole!» ni «¡Torero!», desearíamos gritar «¡Asesinos, sádicos, cobardes!». Solo los psicópatas se gozan esto. Es una tradición que no debe continuar.

¿Cómo puedes ayudar? No asistas a corridas de toro, no apoyes a políticos, a artistas y comunicadores asociados a esta barbarie, no consumas productos de empresas que lo patrocinen. Pero lo más importante: enseña a tus hijos el respeto por los seres vivientes.

ACTIVIDAD 5 Lenguas en peligro de extinción

Actualmente existen alrededor de 70.000 lenguas en el mundo. La mitad de ellas podría desaparecer. ¿Cómo evitarlo? Lo vemos a continuación.

*tiene
**conocerá

Actualmente existen alrededor de 70.000 lenguas en el mundo. La mitad de ellas no verá la luz del próximo siglo. Ante este panorama, el Instituto Nacional de Antropología e Historia, Google México y el Instituto Nacional de Lenguas Indígenas lanzaron la plataforma Lenguas en peligro de extinción.

«Esta es una plataforma abierta en línea, eh… más allá, hablaría de una plataforma colaborativa en línea, donde cualquier persona puede acceder y empezar a compartir materiales de esas lenguas que están catalogadas como en peligro de extinción. De hecho, no se debe delimitar solamente a las lenguas que hoy en día puedan estar disponibles en el sitio, se pueden identificar a través de la plataforma también lenguas que hoy en día no estén consideradas dentro de ese catálogo».

Texto, imagen y audio componen esta plataforma global.

«Muchas veces se nos olvida que para nosotros hablar tenemos que pensar, y para pensar esa forma, esa estructura, ese, ese… esa cosmovisión, ese *Weltanschauung*, esa manera de concebir el mundo y su alrededor, y la circunstancia de cada persona está ligado a una forma de pensamiento».

«Cada lengua, cada cultura tiene posibilidades infinitas de resolver la problemática de los seres humanos de proble… de problematizarla, de revitalizarla, de resolverla. Ehh… si no, si solo resolvemos el mundo en una lengua, es decir, en el castellano, nos estamos perdiendo de posibilidades infinitas de generar otros tipos de mundo, mejores o peores. También, me parece que hay que quitarle romanticismo al asunto pero, sin embargo, hay que conocer, hay que darnos esa oportunidad de encontrar ventanas, de encontrar puertas para que esos mundos puedan ser visibles».

Este es uno más de los proyectos de colaboración entre Google y el INA. El especialista Francisco Barriga destacó la importancia de socializar esta riqueza a través de los medios.

«El posicionamiento de las lenguas en los medios. Eh… estamos convencidos que en la medida en que los hablantes del mundo vean sus lenguas bien posicionadas con todo… con todo… con todas las de la ley en los medios, en esa medida también, irán apreciando ehh… mejor sus propias lenguas».

ACTIVIDAD 6 Influye el uso excesivo de redes sociales en conducta

Las redes sociales, ¿ayudan o no a socializar a los jóvenes?

El mal comportamiento, el quebranto de reglas en el hogar y el incumplimiento de las responsabilidades académicas en adolescentes son conductas que están estrechamente relacionadas con el uso excesivo de las redes sociales. La psicóloga especialista adscrita al hospital Morelos del IMSS, María de Lourdes Chávez, señaló que los fracasos académicos y problemas de conducta son de los principales motivos de consulta en jovencitos de entre los 12 y los 16 años.

El problema es detonado principalmente por disfunción familiar, pero últimamente [se] ha detectado que el uso excesivo de las redes sociales y los videojuegos influyen seriamente en el comportamiento de los menores.

Al dedicar gran parte del día a navegar en los sitios de Internet, el o la joven sustituye las relaciones interpersonales por los medios indirectos de socialización, es decir, solo lo hace a través de los medios electrónicos y no de manera física o personal. Con esto, el adolescente tiende a encerrarse en su entorno y se olvida incluso de la comunicación familiar.

La especialista indica que la comunicación interpersonal se ha deteriorado a tal grado que los mismos padres utilizan los medios digitales para llamar a sus hijos al interior de la casa, pues el aislamiento de los miembros de la familia propicia que sea más fácil hacerlo de ese modo que buscarlos o llamarlos personalmente.

Para los adolescentes afectos a estas tecnologías resulta muy fácil expresar y socializar a través de ellas, pero se les dificulta entablar relaciones personales directas, ya que han perdido la costumbre de hacerlo de esa manera e incluso rechazan la idea de integrarse a grupos, talleres o actividades deportivas en donde puedan interactuar.

ACTIVIDAD 7 Clonar leche humana
Alimento y salud
Un grupo de científicos argentinos ha logrado clonar una vaca que, según sus planes, producirá una leche similar a la leche humana. Para lograrlo, implantaron a Rosita, que así se llama la ternera, 2 genes humanos. Pero Rosita aún tiene 2 meses y su leche se hará esperar.

La vaca, un orgullo para todos los argentinos en palabras de su presidenta, Cristina Fernández de Kirchner, ha salido del INTA, el mismo laboratorio que en diciembre pasado presentó un tipo de leche híbrida entre vacas y cabras con propiedades, en principio, curativas.

Gerardo Galiostro, ingeniero agrónomo, responsable de ese avance, explicó a la BBC que no es un medicamento, sino un alimento que puede prevenir determinadas enfermedades, siempre y cuando la persona lo combine con una vida saludable. Pero, volvamos a Rosita, la pequeña ternera.

Uno de los investigadores que ha participado en este segundo experimento, Adrián Mutto, aseguró que la vaca producirá una leche muy semejante a la leche humana con un valor nutricional superior a la leche de vaca convencional gracias a la presencia de lactoferrina y lisocima, una proteína y una encima características de la leche materna humana. Ambas tienen propiedades antibacterianas, antifúngicas y antivirales, lo que las hace imprescindibles para el correcto desarrollo del sistema inmunológico del niño. Sin ellas, la leche de vaca no es suficiente para alimentar un bebé, de ahí la idea de incorporarlas a una ternera clonada.

Si el experimento sale según lo han previsto los investigadores argentinos, puede que en un futuro las madres que no puedan amamantar a sus hijos dejarán de preocuparse por la calidad de la leche sustitutiva. Pero, aún es pronto para alegrarse porque aún no se puede confirmar que esta superleche vaya a ser efectivamente tan segura y tan completa. De momento, toca sencillamente esperar a que Rosita crezca y sea lo suficientemente madura como para producirla.

alimentoysalud@rtuv.es, Radio 5, *Todo Noticias*.

ACTIVIDAD 8 El dilema de los jóvenes y el voto
El dilema de los jóvenes y el voto
Según una encuesta realizada recientemente, se espera que el 64% de los jóvenes que viven en los países de la Unión Europea probablemente ejerza su derecho al voto. Al mismo tiempo, la encuesta indica que solo el 28% lo hará definitivamente.

En comparación con otros países donde la participación de los jóvenes es muy alta, el porcentaje de jóvenes españoles que tienen intención de votar es mucho más bajo. En países como Bélgica, el 80% de los jóvenes planea votar. En España, este porcentaje es del 58%. De este 58%, solo el 25% de los jóvenes españoles encuestados ejercerá su derecho con seguridad.

¿Y cómo se sienten los jóvenes con respecto a su participación en la política? Según algunos estudios, la juventud en general ha mostrado un gran descontento y desinterés porque cree que su participación en el voto no tendrá ningún efecto. Por otro lado, un gran número de jóvenes no vota porque cree que no tiene la información necesaria para poder decidir cómo votar o porque el Parlamento Europeo no tiene ningún interés por sus necesidades. El bajo porcentaje se ve claramente en España, donde los jóvenes parecen haber perdido su fe en la instituciones comunitarias. Esta desconfianza y pérdida de fe se ve agravada por el hecho de que un 56% de los jóvenes españoles se encuentra sin empleo.

En las últimas elecciones en España, el Partido Socialista Obrero Español propuso bajar la edad del derecho al voto a los 16 años. Entre las razones citadas, se dijo que los políticos se verían obligados a prestar más atención a los problemas actuales de los jóvenes. Los que están a favor de bajar la edad a los 16 años afirman que los jóvenes a esa edad ya tienen la madurez necesaria para votar ya que terminan con la educación obligatoria y empiezan a acceder al mundo laboral y pueden contraer matrimonio así como la responsabilidad penal.

Entre las críticas que se les hace a los jóvenes, una es que no poseen la independencia económica necesaria para expresar sus deseos por medio del voto sin la influencia de los padres. Como indican las cifras en 2010, uno de diez jóvenes españoles tuvo que regresar a vivir con sus padres debido a la situación económica.

Sea la preocupación de muchos ciudadanos y de líderes gubernamentales o sea el deseo de los jóvenes de ejercer su derecho, la Unión Europea ve un gran reto el asegurar que un alto número de jóvenes participe en el voto, tanto en las elecciones parlamentarias como en otras elecciones a nivel nacional.

ACTIVIDAD 9 Wert no descarta cambiar la ley para que los colegios por sexos puedan ser concertados

Y el Ministro de Educación deja la puerta abierta a que los colegios con educación diferenciada por sexos puedan recibir ayudas públicas. Considera que lo discriminatorio sería precisamente negarles esas subvenciones y plantea incluso la posibilidad de una reforma normativa.

Una ley que declare que la enseñanza por sexos no es discriminatoria es la posible solución que plantea el Ministro de Educación para que las comunidades autónomas sigan subvencio-

nando los centros que separan a los niños según su género, unos 70 en toda España. Wert asegura que esta cuestión está amparada por una convención de la UNESCO, firmada por España.

«Si consideramos, y podemos hacerlo, que la educación diferenciada no implica ehh… nada contrario al… al… a los valores constitucionales, es decir, no resulta discriminatoria, que ahí sería la palabra clave, no hay ninguna razón para discriminar económicamente al, el… ehh… el sostenimiento con fondos públicos a los centros por su carácter de diferenciados o no diferenciados».

El PSOE considera estos posibles cambios como una vuelta al pasado y cree que retirar los conciertos públicos a los colegios que separan por sexos es una decisión muy razonable. Esa es la postura aplicada por el Tribunal Supremo en dos centros de Cantabria y Andalucía.

Esperanza Aguirre asegura que Madrid mantendrá todas las ayudas.

«La comunidad de Madrid está absolutamente a favor de la libertad de elegir colegio de los padres, y está absolutamente en contra de que se quiera imponer un tipo de educación u otra».

Izquierda Unida ha solicitado la comparecencia del ministro Wert en el Congreso.

ACTIVIDAD 10 Franco Voli: el arte de ser abuelos

Cada vez más familias trabajadoras recurren a los abuelos para que se ocupen de sus hijos mientras los padres están trabajando. Para hablar de este tema de los abuelos-canguro, tenemos a Franco Voli, que es Presidente Honorario de la Institución de Asuntos Culturales de España y autor del libro *El arte de ser abuelos*.

«Este libro me ha motivado muchísimo porque yo he escrito anteriormente libros para padres, para profesores y… he visto que faltaba efectivamente una información sobre los abuelos. Los abuelos son personas que, una vez que se ponen en ellos mismos, en… en… el largo de onda de ser buenos abuelos, abuelos fantásticos, puede marcar una diferencia familiar increíble, puede ser una motivación para sus hijos, para sus nietos, y puede de verdad, crear una conv… convivencia muy… muy eficaz en la familia. Así que a mí me interesó muchísimo promocionar la importancia de los abuelos en la familia.

Los abuelos-canguro es un tema, es un problema en la sociedad actual porque el abuelo eh… en cierto punto de su vida eh… tiene que vivir su vida, y cuando le obligan a ser un abuelo-canguro, que él no es… escoge hacerlo, que no se siente bien haciéndolo porque está obligado, entonces la cosa no funciona, no funciona, él no está contento, él está frustrado porque no tiene tiempo libre, tan bono* tiempo libre que ha estado soñando toda su vida en el tiempo del trabajo: cuando me jubilo** por fin estaré libre. Y si se le quita esto… mmm… este hombre, este hombre o… esta mujer ehh… hablamos de los dos, eh… está frustrado. Como dije antes, un abuelo frustrado ehh… es un abuelo infeliz, y un abuelo infeliz es un abuelo que no es buen abuelo porque está resentido. Ehh… el punto de resentido, el punto de la víctima, y la víctima nunca es una persona que puede ser un buen educador».

ACTIVIDAD 11 Los jóvenes en China confían en la cirugía estética para conseguir un buen trabajo

Un trabajo por la cara, hablamos literalmente, y si puede tener, además, rasgos occidentales, todavía mejor. Esta es la razón por la que muchos jóvenes en China se hacen una operación de estética.

*bueno (buen)
**jubile

«Cada año, después de los exámenes finales, antes de entrar en la universidad o buscar un empleo, tenemos una avalancha de pacientes». Quien nos lo dice se autodenomina la reina de la cirugía plástica en China. Asegura ser la pionera en el negocio y con casi tantas operaciones como años en sus espaldas.

Shi Shan Ba, antigua cantante de ópera, dibuja personalmente los cambios que le ha pedido su cliente. Lulú quiere una cara más tridimensional y perder su expresión infantil. Por ahora, le harán la nariz más estrecha, un pliegue en los ojos y se los levantarán para que parezcan más grandes.

«Creen que así serán más competitivos», comenta este otro cirujano.

Difícil marcar la diferencia en un país de más de mil millones de personas, pero «si eres guapa, eres más popular que una chica normal y corriente, aunque [yo] sea muy lista», nos dice convencida esta estudiante de derecho.

Según estadísticas facilitadas por hospitales —no hay datos oficiales—, más del 50% de estas intervenciones son a jóvenes chicas, pero también chicos, que piensan que así tendrán mejores oportunidades laborales.

La obsesión por tener los ojos menos rasgados lleva a que incluso algunas mujeres utilicen pegamento para levantarse el párpado.

Unos días después, vemos a Lulú. Está feliz y convencida [de] que la primera fase de su currículum se ha escrito con bisturí.

ACTIVIDAD 12 La tecnología nuestra de cada día

El uso de Internet es una herramienta que ha facilitado algunas facetas de nuestra vida cotidiana.

Estar conectadas en la red nos ha permitido acceder a información de todo el mundo, contactarnos con amigos, trabajar colaborativamente y dedicarle[s] tiempo al ocio y la recreación.

Podemos bajar música, películas, mandar

mensajes a *[e-]mails* y a teléfonos, comprar *on line*, inscribirnos en la facultad.

Las páginas que más usamos son Facebook, Hotmail, Cuevana para bajar películas, RAE (la Real Academia Española), el Google, radios online, Okeyko para mandar mensajes cuando nunca tenemos crédito, YouTube para ver videos y películas, Blog de la facultad, ehh… el Guaraní para inscribirnos y Mercado Libre. También diarios como *La Voz, La Nación, Página 12*, todo para estar conectadas.

Junto con nosotras, conéctate al mundo de la Internet, Internet, Internet…

ACTIVIDAD 13 Daño duradero de la TV en los niños

¿La televisión afecta los niños de forma positiva o negativa?

Entre más televisión ve un niño de dos años, mayores son las probabilidades de que tenga un mal desempeño en la escuela y una mala salud al cumplir diez años.

Esa es la conclusión de una investigación con más de 1.300 niños llevada a cabo por científicos de las universidades de Michigan, en Estados Unidos, y Montreal, en Canadá.

Según el estudio publicado en *Archives of Pediatrics & Adolescent Medicine* (Archivos de Pediatría y Medicina Adolescente), por cada hora de televisión que ven los niños, peor es el desempeño académico y mayor el consumo de comida chatarra.

«Encontramos que cada hora adicional de exposición a la TV entre niños pequeños correspondía con una futura reducción en la participación escolar y el éxito en matemática[s], un incremento en el acoso por parte de los compañeros, una vida más sedentaria, un alto consumo de productos chatarra y eventualmente un mayor índice de masa corporal», explica la doctora Linda Pagani, quien dirigió la investigación.

El objetivo del estudio era determinar el impacto de la exposición a la televisión entre niños de dos años en su futuro éxito académico, su estilo de vida y su bienestar general.

Los investigadores llevaron a cabo un seguimiento cuando los pequeños cumplieron diez años y se les solicitó a los maestros que evaluaran su desempeño académico y psicosocial y sus hábitos de salud, y que midieran su índice de masa corporal (IMC).

Los resultados mostraron que quienes veían más televisión a los dos años tuvieron menores niveles de participación en el salón de clases y menores calificaciones en matemática[s].

También se encontró una reducción en la actividad física general y un aumento en el consumo de bebidas gaseosas y en el IMC.

Tal como expresa la doctora Pagani: «La primera infancia es un período crítico para el desarrollo cerebral y la formación de la conducta. Los altos niveles de consumo de TV durante este período pueden conducir a hábitos perjudiciales para la salud».

«El sentido común sugeriría que la exposición a la televisión reemplaza el tiempo que el niño podría pasar comprometido en otras actividades más enriquecedoras y en tareas que mejoren su desarrollo cognitivo, conductual y motor», dice la investigadora.

Y agrega: «Esperábamos que el impacto de la TV en la primera infancia desapareciera cuando el niño cumpliera siete años, pero es bastante desalentador el hecho de que los resultados negativos continúen hasta los diez años».

«Nuestro estudio presenta un argumento de salud pública muy convincente contra la exposición excesiva a la TV en la primera infancia», expresa la doctora Pagani.

ACTIVIDAD 14 Beneficios del agua

«¿Sabías que en el 37% de los estadounidenses el mecanismo de la sed es tan débil que frecuentemente lo confunden con hambre?».

«¿Y sabías que la falta de agua es la causa número 1 de la fatiga diurna?».

«¿Sabías que según estudios de la Universidad de Washington, un vaso de agua calma el hambre en casi un 100% de los casos bajo dieta adelgazante?».

«¿Sabías que otros estudios científicos bien sustentados indican que ingerir de 8 a 10 vasos de agua al día podrían aliviar significativamente los dolores de espalda y de articulaciones en el 80% de las personas con estos padecimientos?».

«¿Sabías que un descenso de tan solo el 2% de agua en el cuerpo puede causar pérdida momentánea de la memoria, dificultad con las operaciones matemáticas básicas y problemas de enfoque visual frente a la pantalla de un computador o sobre una página impresa de un libro o periódico?».

«¿Sabías que beber por lo menos 5 vasos de agua al día disminuye en un 45% el riesgo de cáncer de colon, en un 79% el riesgo de cáncer de mamas y en un 50% las posibilidades de desarrollar cáncer de vejiga?».

«¿Estás tomando diariamente la debida cantidad de agua o has optado por sustituirla por bebidas gaseosas?».

ACTIVIDAD 15 La trascendencia de la poesía

La Directora General de la UNESCO llamó hoy a los estados, a las escuelas y a la sociedad civil a celebrar la poesía y a asegurarse de que en los textos escolares, lugares públicos y en las paredes de las ciudades se le dé el lugar que le corresponde.

El Día Mundial de la Poesía se observa cada 21 de marzo para festejar la diversidad cultural y lingüística. «El lenguaje de la poesía, con sus sonidos, las metáforas y la gramática se erige como una barrera contra el deterioro de las lenguas del mundo y culturas», dijo Irina Bokova.

En un mundo de rápida transformación, la responsable de la UNESCO sostuvo que los poetas tienen una presencia al lado de los movimientos civiles, y saben cómo alertar a la conciencia sobre las injusticias del mundo, así como fomentar la apreciación de su belleza.

Al celebrar el Día Mundial de la Poesía, la UNESCO reconoce el valor de símbolo de la creatividad humana que tiene el arte poético, y rinde homenaje a todas las mujeres y hombres que luchan cada día por crear un mundo mejor usando tan solo las palabras como herramienta.

Jorge Millares, Naciones Unidas, Nueva York.

Conversation

Audio scripts

> Script of the exam instructions for Part E:
> Tienes 1 minuto para leer las instrucciones de esta actividad.
> *(1 minute)*
> Ahora vas a empezar esta actividad. Tienes 1 minuto para leer la introducción.
> *(1 minute)*
> En este momento va a comenzar la conversación. Ahora presiona el botón "Record".
> *(Simulation conversation starts. Students begin recording.)*

ACTIVIDAD 1

Lucía: Hola, te andaba buscando. Hoy sí que no es mi día. ¡Acabo de recibir muy malas noticias!

Lucía: Pues, fíjate que envié varias solicitudes para hacer trabajo voluntario en Costa Rica — específicamente para trabajar con las tortugas marinas— pero ninguna de las organizaciones me aceptó. ¡No sé qué hacer!

Lucía: Quizá tengas razón, pero tú sabes bien que siempre me han fascinado las tortugas marinas y Costa Rica tiene varios programas para ayudar a la preservación de estos animales.

Lucía: En fin, es una lástima porque no creo poder hacer este tipo de viaje cuando esté en la universidad.

Lucía: Sí, tienes razón. Voy a pensarlo. ¡Gracias por todos tus consejos!

ACTIVIDAD 2

Leticia: ¡No vas a creer lo que pasó ayer! Mientras caminaba a casa me encontré con un gatito precioso. Parecía que tenía frío y como estaba solito, me lo llevé a casa.

Leticia: El problema que tengo es que mis padres no lo saben todavía. Dejé al gatito en mi cuarto porque ellos no quieren animales en casa. ¿Qué hago?

Leticia: Hum, voy a pensar en lo que me aconsejas. Ya sabes, yo amo mucho a los animales, sobre todo a los gatos. Mi vocación es ayudar a los animales. ¿No te parece que la carrera de veterinaria es una buena profesión?

Leticia: Estoy de acuerdo. ¿Y tú? ¿Cuál es tu vocación? ¿Qué carrera quieres estudiar?

Leticia: ¡Qué bien! Oye, ¿por qué no pasas por casa esta tarde para ver al gatito?

ACTIVIDAD 3

Mario: Hola, ¿qué tal? Te estuve buscando todo el santo día. ¿Por qué no me llamaste?

Mario: Mira, te quería decir que lamentablemente no puedo ir a tu fiesta el sábado.

Mario: Bueno, es que una prima mía celebra sus quince años y ya sabes, habrá una gran fiesta. Tendré que llevar un traje formal y bailar. ¡Odio bailar y encima vestido de pingüino! ¿Qué me aconsejarías para pasarlo bien?

Mario: ¡Genial, gracias! Y… además, todavía no le he comprado nada a mi prima. ¿Tienes alguna idea para un regalo de quinceañera?

Mario: ¡Excelente! Gracias de nuevo. Mira, te llamaré durante la semana para ver si salimos juntos el próximo fin de semana. ¿Te parece?

ACTIVIDAD 4

Julia: ¡Hola! Oye, ¿sabías que el concierto de Juanes es el próximo sábado? ¿Quieres ir?

Julia: Sí, la verdad es que es genial. ¿Sabías que la

banda preferida de Juanes es Metallica? La mía es Café Tacuba porque me gusta el rock latino. ¿Y tú? ¿Cuál es tu banda preferida?

Julia: A mí también me gusta esa banda. Y estoy segura de que también tienes algunos cantantes favoritos. Además de Juanes, ¿a qué artistas latinos conoces?

Julia: Bueno, volviendo al concierto de Juanes, debemos comprar las entradas porque se agotan pronto. ¿Puedes acompañarme al estadio esta tarde para comprarlas?

Julia: Entiendo, no te preocupes. Oye, me tengo que ir pero debemos coordinar para comprar las entradas. Llámame esta noche antes de la cena.

ACTIVIDAD 5

Guillermo: ¡Qué sorpresa verte por aquí! ¿Qué tal? ¿Vas de compras?

Guillermo: Ay, ¡qué pena! Sé que no puedes vivir sin el móvil. Pero, ¿qué le pasa exactamente y desde cuándo?

Guillermo: Deberías aprovechar la ocasión para comprarte un modelo nuevo con más opciones. Dime, ¿qué opciones te gustaría tener?

Guillermo: Claro que soñar no cuesta nada. Pero, en serio, ¿por qué necesitas tantas opciones?

Guillermo: Entonces, me parece una buena decisión. Oye, ¿quieres que te acompañe?

Guillermo: Está bien. ¡Suerte y hasta pronto!

ACTIVIDAD 6

Cecilia: Aló... habla Cecilia. Oye, llámame porque tengo que escribir un informe para la clase de inglés y necesito tu ayuda. Aquí estaré esperando tu llamada. ¡Chao!

Cecilia: ¿Aló?

Cecilia: ¡Gracias por llamar! Mira, el profesor de inglés nos pidió que escribiéramos un informe sobre una obra literaria y no tengo idea sobre qué escribir. ¡Por favor ayúdame! ¿Qué obra literaria me recomiendas?

Cecilia: A ver, estoy anotando aquí el título. Mira, dime de qué se trata. ¿Te gustaron los personajes?

Cecilia: ¡Parece interesante! Oye, ¿y sabes algo sobre el autor?

Cecilia: Estupendo. Esta información me va a ser muy útil. ¡Gracias, eh! Si tengo cualquier otra pregunta, te llamaré.

ACTIVIDAD 7

Ricardo: Hola, te habla Ricardo y te tengo un gran chisme. Llámame en cuanto puedas. Sé que te encantan los chismes. ¡Hasta luego!

Ricardo: ¿Aló?

Ricardo: No te preocupes. Oye, me acaban de decir que Ignacio y Gloria se han peleado. Ya no son novios. Parece ser que a la madre de Gloria no le gusta Ignacio y no quiere que ella salga más con él. ¡Te imaginas… !

Ricardo: Es que para la madre de Gloria nadie es lo suficientemente bueno para salir con su hija. Ella es demasiado exigente. ¿Piensas que debo llamar a Ignacio para ofrecerle apoyo?

Ricardo: Bueno, tienes razón. Estoy seguro de que él está muy triste. Estaba locamente enamorado de ella. ¿Habrá algo que podamos hacer por él?

Ricardo: Excelente idea. Nos vemos entonces. Espero que podamos levantarle el ánimo al pobre Ignacio.

ACTIVIDAD 8

Camila: ¡Hola! Te habla Camila. Te llamo porque necesito hablar con alguien. ¿Cómo estás?

Camila: Lo que pasa es que quiero estudiar en una universidad fuera del estado pero mis padres no quieren dejarme. Dicen que debo escoger una universidad cerca de casa, que soy muy joven para vivir sola.

Camila: Tienes razón. El problema es que dependo de su apoyo económico. ¿Cómo convencerlos? ¿Qué les digo para que me permitan estudiar lejos de casa?

Camila: ¡Buena idea! Además, me gustaría conocer a gente de diferentes culturas y creencias. ¿No te parece que eso es importante también?

Camila: ¡Gracias por escucharme y por aconsejarme! Bueno, hablamos luego.

ACTIVIDAD 9

Amanda: Gracias por aceptar nuestra invitación para hacer esta entrevista. Me gustaría que les explicaras a los estudiantes la razón principal por la que quieres ser presidente del consejo estudiantil.

Amanda: Estoy segura de que también has pensado en algunos de los problemas que tenemos aquí en la escuela. En tu opinión, ¿cuál es el problema más serio?

Amanda: ¿Qué sugerencias tienes para mejorar la situación?

Amanda: Como sabes, muchos estudiantes no se molestaron en votar en las últimas elecciones escolares. ¿Qué les dirías a esos estudiantes?

Amanda: Ahora para terminar, ¿qué piensas hacer desde hoy día hasta el día de las elecciones para asegurar tu victoria?

ACTIVIDAD 10

Ángel: Hola, ¿qué tal? Sabes, estoy pensando en comprar una tableta. Creo que sería muy útil. ¿Qué piensas?

Ángel: El problema es que no tengo suficiente dinero. Solo tengo la mitad de lo que cuesta. No sé cómo conseguir el resto del dinero.

Ángel: Supongo que debería conseguir trabajo, pero a mi edad y sin experiencia, ¿dónde puedo trabajar?

Ángel: ¡Buena idea! Oye, ¿qué tal si tú y yo solicitamos el mismo trabajo?

Ángel: ¡Estoy completamente de acuerdo contigo! Me muero por ganar dinero y comprarme una tableta. Bueno, nos vemos más tarde y así hacemos planes para buscar un puesto de trabajo.

ACTIVIDAD 11

Jorge: Hola. Me dijeron que te interesaba entrar en la Facultad de Bellas Artes. ¿Por qué te interesa estudiar bellas artes?

Jorge: A lo mejor, ya sabes que para entrar necesitas un portafolio con los mejores trabajos que hayas hecho, ¿verdad? ¿Qué obras has hecho en las clases de arte?

Jorge: Interesante. Y, dime, ¿qué tipo de profesión quieres tener después de terminar tus estudios?

Jorge: Mira, me parece que tú serías ideal para la universidad a la que asisto yo. Puedo arreglar una visita si te interesa.

Jorge: ¡Perfecto! Entonces, mañana te puedo mandar un mensaje de texto y te daré el número de teléfono de la persona con quien debes hablar.

ACTIVIDAD 12

Sofía: Gracias por ayudarme. Mi hermana nunca me ayuda; no sé por qué es tan antipática.

Sofía: Bueno, la tarea es escribir un informe sobre una persona que haya tenido éxito en nuestra comunidad. ¿Tienes alguna idea sobre quién puedo escribir?

Sofía: ¡Me gusta la idea! ¿Dónde puedo conseguir información sobre la persona que yo escoja?

Sofía: Buena idea. Sería interesante si yo pudiera entrevistar a la persona que escoja. ¿Qué te parece la idea?

Sofía: ¡Oye, qué buenas ideas tienes! ¡Muchísimas gracias! ¡Me has ayudado un montón! Voy a empezar a investigar ahora mismo.

ACTIVIDAD 13

Tu padre: ¡Tengo una gran sorpresa! Este verano vamos a alquilar una casita en el campo, en las montañas.

Tu padre: Pero, mira, cerca de la casita hay un lago donde podemos nadar y hasta podemos pescar. Vamos a gozar del aire fresco por primera vez en muchos meses.

Tu padre: Yo estoy seguro de que a tu mamá le encantaría la casita de campo. No hay Internet, entonces estaremos tranquilitos, sin distracciones.

Tu padre: Pues yo quiero unas vacaciones tranquilas este año. ¿Te acuerdas el año pasado? Fuimos a la playa y había demasiada gente y el calor era horrible.

Tu padre: Bueno, ¿por qué no esperamos hasta que llegue tu mamá y así hablamos todos juntos?

ACTIVIDAD 14

Mayra: Hola, te habla Mayra. Qué bueno que contestaste porque estoy muy asustada. Hay alerta de tornado y ¡no sé qué hacer!

Mayra: Estoy en casa sola. Estaba en mi dormitorio viendo televisión cuando anunciaron una alerta de tornado. Según el mapa que mostraron, un tornado se dirige hacia mi vecindario. ¿Qué hago?

Mayra: Está bien, pero no quiero estar sola. Tal vez vaya a la casa de un vecino. Está a una cuadra de aquí. Estoy mirando el cielo por la ventana y no veo ningún tornado.

Mayra: Oye, me estás asustando más, pero tienes razón. Voy a bajar al sótano ahora mismo. Me llevo el teléfono para seguir hablando contigo. ¿Debo llevar algo conmigo al sótano?

Mayra: ¡Buena idea! Oye, está entrando otra llamada. A lo mejor son mis padres. Voy a colgar. ¡Gracias por todo! Eres un ángel.

ACTIVIDAD 15

Alicia: Hola, soy Alicia Robledo. Como ganadora del año pasado, me toca a mí entrevistar a los finalistas del concurso "Ayuda a tu comunidad" este año. Pasa, pasa y siéntate.

Alicia: Bien… bien… Para empezar, ¿pudieras darme más detalles acerca de tu proyecto y de cómo ayudaría a tu comunidad?

Alicia: ¡Muy bien! Dime, ¿cómo se te ocurrió la idea para este proyecto?

Alicia: ¡Qué interesante! Pero la competencia es dura, ¿sabes? Explícame una cosa. El proyecto ganador recibe mil dólares para ayudar a la comunidad. ¿Por qué debe ser tu proyecto el ganador de los mil dólares?

Alicia: ¡Fantástico! La próxima semana anunciaremos el nombre del ganador y su proyecto. ¡Quién sabe! Tal vez seas tú.

Alicia: Buena suerte y hasta pronto.

ACTIVIDAD 16

Valeria: Hola, te habla Valeria. Eh… estoy muy preocupada. Es sobre mis padres. Necesito hablar con alguien, entonces llámame en cuanto puedas. ¡Adiós!

Valeria: Bueno.

Valeria: La razón por la que te llamé es que mis padres perdieron su empleo hace como tres meses y no encuentran trabajo. ¿Te imaginas? Los dos perdieron sus puestos de trabajo en cuestión de unos días.

Valeria: Estoy muy preocupada porque no sé cuánto tiempo van a durar así, desempleados.

Valeria: Así es. ¿Sabes? A veces me pongo a pensar en lo que pasará si nunca consiguen trabajo.

Valeria: Gracias, la verdad es que necesito una distracción… pero preferiría ir a tu casa y ver videos en Internet.

ACTIVIDAD 17

Federico: ¡Hola! Perdona que no pude esperarte después de las clases. Tenía una cita con el dentista. ¿Cómo te fue hoy en la escuela?

Federico: Bueno, yo no tuve tu suerte. Tengo que escribir un informe para la clase de historia y estudiar para el examen de matemáticas. Y encima de eso, tengo que limpiar mi cuarto y voy a tener que dormir en la sala de hoy en delante.

Federico: ¿No te conté? Mis dos primos se van a quedar con nosotros por un mes mientras sus padres encuentran empleo en Argentina. Mamá insiste en que ellos duerman en mi cuarto y que yo duerma en la sala.

Federico: De acuerdo… Y el problema es que es muy difícil estudiar en la sala. Prefiero mi cuarto porque hay menos distracciones. Claro que con mis primos en el cuarto, no me van a dejar estudiar.

Federico: ¡Buena idea… haré eso! Oye, deberías venir el fin de semana y conocer a mis primos. A ellos les encanta jugar videojuegos como a ti.

ACTIVIDAD 18

Jorge: ¡Hola, buenos días! Permíteme darte la bienvenida. ¿Es la primera vez que visitas nuestro museo?

Jorge: Este museo tiene una colección excelente de pintores hispanoamericanos del siglo veintiuno. ¿Por qué te gusta tanto el arte hispanoamericano?

Jorge: ¡Qué bien! La entrada cuesta treinta quetzales para extranjeros. Si quieres un *tour* grabado, puedes alquilar un aparato portátil de audio. Cuesta diez quetzales. ¿Quieres alquilar uno?

Jorge: Muy bien. Aquí tienes un mapa del museo. La tienda del museo está cerca de la salida, a la derecha por si te interesa comprar el catálogo de la exposición.

Jorge: Cómo no. Bueno… espero que disfrutes de tu visita.

ACTIVIDAD 19

Fernando: Gracias por participar en esta encuesta. Para empezar, dime tu edad y lo que te gusta hacer en tus ratos libres.

Fernando: ¿Qué dispositivos electrónicos usas para divertirte?

Fernando: ¿Qué aparato te gusta más y por qué?

Fernando: Por último, ¿crees que las nuevas tecnologías han contribuido a que la gente pase el tiempo libre de una manera más agradable?

Fernando: Gracias por todas tus respuestas. Sinceramente, ha sido un placer.

ACTIVIDAD 20

Javier: Hola. Oye, necesito escribir un informe sobre los cambios en la población de los Estados Unidos, específicamente sobre la inmigración hispana. ¿Me puedes dar algunas ideas?

Javier: Bueno, dicen que la población hispana va a llegar a los 102 millones para el año 2050. Me parece que sería interesantísimo investigar la situación. ¿Qué aspectos podría incluir?

Javier: Excelente idea. ¿Piensas que sería buena idea escoger algunos estados para mostrar los cambios?

Javier: Gracias por tus ideas, pero todavía estoy un poco preocupado. Creo que debo incluir alguna información sobre la razón por la que el número de inmigrantes está aumentando tanto, ¿verdad?

Javier: Te agradezco infinitamente tu ayuda. Espero poder ayudarte en el futuro.

Javier: Gracias de nuevo. Eres fenomenal. ¡Chao!

Cultural Comparison

Audio scripts

AUDIOSCRIPT

NOTE: The following audio recording is provided for use to simulate the AP® Exam activity testing format.

Tienes 1 minuto para leer las instrucciones de esta actividad.

(1 minute)

Ahora vas a empezar esta actividad.

Tienes 4 minutos para leer el tema de la presentación y prepararla.

(4 minutes)

Tienes 2 minutos para grabar tu presentación.

Presiona el botón "Record" o suelta el botón "Pause" ahora. Empieza a hablar después del tono.

(2 minutes)

AP Spanish Audio DVD: Source Acknowledgments

Grateful acknowledgment is made to the following for copyrighted material:

Part B-1
Interpretive Communication: Print and Audio Texts (Combined)

Activity 1: "Solitario George," by Jorge Pedraza. Used by permission.

Activity 3: "Aprender sin libros," by Daniel Canelo Soria. Used by permission.

Activity 4: "¿Internet en Corea?" by Jorge Pedraza. Used by permission.

Activity 5: "Manaus: la transformación de una ciudad," from iadb.org. Used by permission of Inter-American Development Bank (IADB).

Activity 6: "El best seller, ¿nace o se hace?," by Tamara León. From www.trendingpodcast.com. Used by permission.

Activity 7: "La sequía reduce el número de mariposas monarca" (12/27/2011). Copyright BBC © 2009, 2010, 2011, 2012, 2013. Reproduced by permission.

Activity 8: "Palabras al alcance de la mano," by Sonia Marchesi. Used by permission.

Activity 9: "Música: Un remedio para el alma," by Sonia Marchesi/Voice: María Noel Raschetti. Used by permission.

Activity 10: "De la prehistoria al plato principal," by Sonia Marchesi/Voice: Leonardo Farhat. Used by permission.

Activity 11: "La publicidad," from *Diseño sensato*, RTVE. Aired 6/17/2012.

Activity 12: "Mayores cuidados," by Sonia Marchesi. Used by permission.

Activity 14: "Tarahumaras en el siglo XXI," by Tamara León. From www.trendingpodcast.com. Used by permission.

Activity 15: "Todos los niños cuentan." From iadb.org. Used by permission of Inter-American Development Bank (IADB).

Activity 16: "Discuten fórmulas para la mejor gestión de desechos tóxicos." 11/28/2012. United Nations.

Activity 17: "El cine y la moda y viceversa," by Tamara León. From www.trendingpodcast.com. Used by permission.

Activity 18: "Las sequías: el peligro natural más destructivo del planeta." 3/11/2013. United Nations.

Activity 19: "La luz de los gadgets y el estrés," by Tamara León. From www.trendingpodcast.com. Used by permission.

Activity 20: "Medidas de adaptación al cambio climático," by Tamara León. From www.trendingpodcast.com. Used by permission.

Part B-2
Interpretive Communication: Audio Texts

Activity 1: "El papel de la radio comunitaria." 3/6/2013. United Nations.

Activity 2: "Turismo mundial: un sólido pilar de la economía." 3/21/2013. United Nations.

Activity 3: "75 años de la primera exhibición del 'Guernica' de Picasso," from *En días como hoy*, RTVE. Aired 7/13/2012.

Activity 4: "Sonambulismo en Estados Unidos," from *El buscador de R5*, RTVE. Aired 5/27/2012.

Activity 5: "Las dos personalidades de Damián Jamerboi," Radioteca. Used by permission.

Activity 6: "Storytelling," from *Diseño sensato*, RTVE. Aired 7/15/2012.

Activity 7: "Los graves daños de consumir grasas trans en la dieta." 4/3/2013. United Nations.

Activity 8: "Las pequeñas y medianas empresas, agentes de dinamismo económico." 1/30/2013. United Nations.

Activity 9: "El fallecimiento del Cid Campeador," from *En días como hoy*, RTVE. Aired 7/10/2012.

Activity 10: "¿Podemos ser todos creativos?" from *Diseño sensato*, RTVE. Aired 4/15/2012.

Activity 11: "¿Quién es Maira?" Radioteca. Used by permission.

Activity 12: "Los jóvenes son la mejor inversión de futuro" 3/27/2013. United Nations.

Activity 13: "El género de la lengua no crea machistas," from *El buscador de R5*, RTVE. Aired 3/25/2012.

Activity 14: "65 años del referéndum de Franco sobre la Ley de Sucesión," from *En días como hoy*, RTVE. Aired 7/6/2012.

Activity 15: "Conectar a los desplazados." From iadb.org. Used by permission of Inter-American Development Bank (IADB).

Activity 16: "Ideas para cambiar el mundo." From iadb.org. Used by permission of Inter-American Development Bank (IADB).

Activity 17: "Seguridad vial: salvar vidas y ahorrar dinero." 1/3/2013. United Nations.

Activity 18: "Desconectados." From iadb.org. Used by permission of Inter-American Development Bank (IADB).

Activity 19: "Células madre de cadáver," from *El buscador de R5*, RTVE. Aired 6/23/2012.

Activity 20: "Día de los Muertos," Radioteca. Used by permission.

Activity 21: "*Aurora Carrillo, transformando a Colombia a través de la educación*" by María Carolina Piña from El invitado de RFI, Sept. 12 2009. Used by permission.

Activity 22: "El robo de bebés fue la práctica más perversa de la dictadura argentina," from *En días como hoy*, RTVE. Aired 7/6/2012.

Part D
Presentational Writing: Persuasive Essay

Activity 1: Gulf Stream: "La corriente del Golfo y la nueva glaciación." Used by permission of Grand Angle Productions.

Activity 2: "Siesta, un invento español," from *Miniaturas*, RTVE. Aired 11/2/2011, Used by permission of RTVE.

Activity 3: "Libro electrónico," from *Reportaje emisora Cáceres*, RTVE. Aired 3/5/2012.

Activity 4: "El toro," Radioteca. Used by permission.

Activity 5: "Lenguas en peligro de extinción," from *Noticias Culturales Iberoamericanas*, RTVE. Aired 9/8/2012.

Activity 6: "*Influye el uso excesivo de redes sociales en conducta*" (audio) March 20, 2013. Used by permission of El Heraldo de Chihuahua.

Activity 7: "Clonar leche humana" from Alimento y salud. Aired 8/28/2011. Used by permission of RTVE.

Activity 9: "Wert no descarta cambiar la ley para que los colegios por sexos puedan ser concertados," *Noticias 24 horas*, RTVE. Aired 8/24/2012.

Activity 10: "Franco Voli: El arte de ser abuelos," from guiainfantil.com. Used by permission of Polegar Medios S.L.

Activity 11: "Los jóvenes en China confían en las cirugía estética para conseguir un buen trabajo," from *A la carta*, RTVE. Aired 7/5/2009.

Activity 12: "La tecnología nuestra de cada día" from radioteca.net (3/1/2011). Used by permission.

Activity 13: "Daño duradero de la TV en los niños" (5/4/2010). Copyright BBC © 2009, 2010, 2011, 2012, 2013. Reproduced by permission.

Activity 14: "Beneficios del agua," Radioteca. Used by permission.

Activity 15: "La trascendencia de la poesía, from Radio ONU. Used by permission of Radio UN.